Carolle Dubois • Anne Roberge

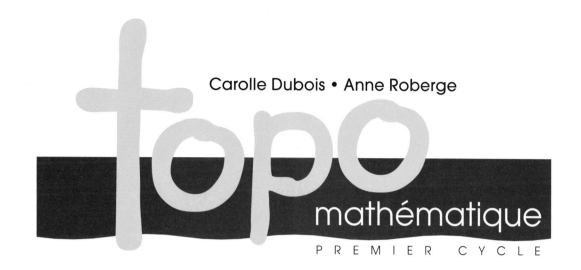

topo
mathématique
PREMIER CYCLE

MANUEL

A

GRAFICOR
MEMBRE DU GROUPE MORIN

171, boul. de Mortagne, Boucherville (Québec) J4B 6G4
Tél. : (450) 449-2369   Téléc. : (450) 449-1096

Données de catalogage avant publication (Canada)

Dubois, Carolle, 1951-
    Topo mathématique : premier cycle du primaire. Manuel
    Sommaire : (1) A.
    ISBN 2-89242-815-7 (v. 1)

    1. Mathématiques – Ouvrages pour la jeunesse.
    2. Mathématiques – Problèmes et exercices – Ouvrages pour la
jeunesse.

    I. Roberge, Anne, 1956-   . II. Titre.

    QA139.D822 2000 Suppl.   513.2   C00-942174-2

Supervision du projet et révision linguistique
Solange Tétreault
Linda Tremblay

Révision scientifique
Blozaire Paul

Correction d'épreuves
Dolène Schmidt
Solange Tétreault

**Conception graphique, page de couverture,
réalisation et mascotte**
Robert Dolbec

Illustrations
Marie-France Beauchemin, p. 102, 117, 118, 125, 126
Josée Brunelle, p. 128
Andrée Chevrier, p. 3, 4, 9-11, 20, 35, 36, 40, 41, 93, 94, 96, 100,
121-123
Robert Dolbec, p. 6-8, 10, 13, 15, 18, 26, 28, 30-33, 41, 44, 46, 47,
49-52, 55, 57-61, 65, 67-71, 74-77, 79- 87, 90, 91, 94, 96, 103, 106,
107, 110-114, 123, 129, 130, 133, 136, 140-144, 146, 147, 149, 154,
155, 157, 160
Marie-Claude Favreau, p. 3-5, 11, 12, 23, 27, 29, 37, 38, 56, 64, 65,
69, 78, 92, 99, 104, 120, 124, 127, 134, 136, 138, 150-153, 158
Steeve Lapierre, p. 34
Stéphane Lortie, p. 16, 17, 19
Céline Malépart, p. 4, 61-63, 66, 70, 72, 73, 135, 137, 145
François Thisdale, p. 21, 24-26

Photos
Arto Do Kouzian, p. 53
Artville, p. 117-119
Carolle Dubois, p. 106
Corel, p. 95
Élise Guévremont, p. 88
Infograf, p. 4, 105, 108, 109, 128 (bagel, poulet, œuf), 131
Miyuki Tanobe, p. 159
Pepys Library, Magdalene College, Cambridge, p. 145
Will et Deni McIntyre / 2000 Stone, p. 52

Nous reconnaissons l'aide financière du gouvernement
du Canada par l'entremise du Programme d'aide
au développement de l'industrie de l'édition pour nos
activités d'édition.

Dépôt légal 1er trimestre 2001
Bibliothèque nationale du Québec

ISBN 2-89242-815-7

Imprimé au Canada   1 2 3 4 5 6 - 5 4 3 2 1

510.76
.D7951
2001

« Couverture, programme pour les
Ballets suédois » (vers 1923)
© Succession Fernand Léger / SODRAC
(Montréal) 2000

Avec TOPO, au fil des thèmes, tu vivras une
foule de projets et d'excursions…

Dans chaque excursion, il y aura :

- un départ :   ⟫⟫⟫   tu te prépares

- un parcours :   ⟫⟫⟫   (première partie)
                           tu es en route

                   ⟫⟫⟫   (deuxième partie)
                           tu t'attardes à
                           certains aspects

- une arrivée :   ⟫⟫⟫   tu fais le point sur tes
                           découvertes

Table des matières

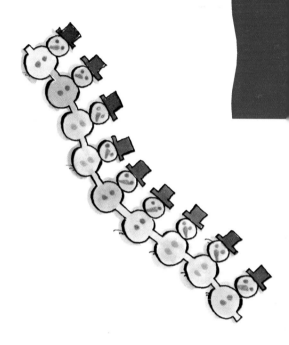

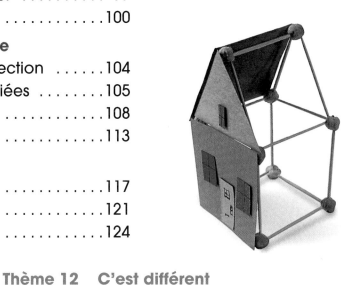

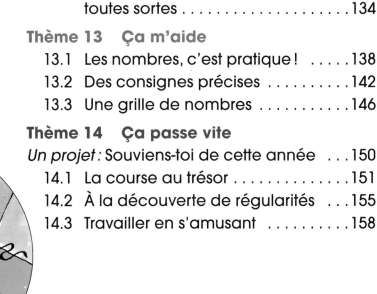

Ça commence

Un projet : **Découvre tes amis**

Comment pourrais-tu apprendre à mieux connaître les élèves de ta classe ?

De quelle façon pourrais-tu apprendre à connaître les autres ?
En leur posant des questions ? en faisant une activité avec eux ?
en pratiquant un sport avec eux ? en leur demandant de se décrire ?
Qu'aimerais-tu savoir au sujet de tes camarades ? Leur nom et
leur numéro de téléphone ? le nom des membres de leur famille ?
leurs chansons préférées ? leurs loisirs ? leurs jeux favoris ?

Comment pourrais-tu présenter ce que tu as découvert sur tes
camarades ?

Présente ta production et participe à ton évaluation.

1. Nos préférences

D'après toi, quel est le fruit préféré des élèves de la classe ?
l'animal préféré ? Que peux-tu faire pour le savoir ?

**Pour mieux nous connaître, comparons nos préférences
à l'aide de nombres et de diagrammes.**

1. Dessine ton fruit et ton animal préférés sur le bout de papier qu'on te remettra.

2. Joins-toi à quelques camarades. Ensemble, trouvez les préférences de votre équipe.

3. Proposez des façons de trouver le fruit et l'animal préférés de la classe et de montrer combien d'élèves ont fait chaque choix.

Dis ce que tu as appris sur les préférences des élèves de la classe en utilisant les mots «plus», «moins», «autant». Parmi les moyens utilisés, lequel te plaît le plus pour comparer des choix ?

1.1

1. Observe les deux diagrammes. Pour chacun :

a) dis combien d'élèves ont fait chaque choix ;

b) nomme le fruit ou l'animal préféré ;

c) nomme le fruit ou l'animal qui a été **le moins** souvent choisi ;

d) indique les choix qui ont été nommés **autant** de fois que d'autres.

Le fruit préféré de la classe de Liu

pomme	X	X	X	X	X				
kiwi	X	X							
banane	X	X	X	X	X	X	X	X	X
orange	X	X	X	X	X				
raisins	X	X	X						

L'animal préféré de la classe de Liu

Catherine			
Agathe			
Émilie		Léa	Anne
Norbert		Denis	Liu
Alexia	Jules	Marco	Alain
Amélie	Lisa	Cathy	Yvon
Noémie	Laurie	Nicolas	Lucie
Julia	Mario	Nim	Jasmin

Moi, j'aime les 🦴.

Votre enfant peut probablement déjà réciter la comptine de nombres et reconnaître certains chiffres sans pour autant connaître la valeur des nombres. Connaître la valeur des nombres, c'est être capable d'associer un nombre à la quantité qu'il représente, et inversement. Saisissez toutes les occasions de la vie courante pour compter des objets à voix haute et faire compter votre enfant avec vous.

2. Observe les choix de la classe de Léa et réponds aux questions.

L'animal préféré de la classe de Léa

a) Combien de fois le chat a-t-il été choisi?

b) Quels animaux ont été choisis **moins souvent** que le chien?

c) Quel animal a été choisi cinq fois?

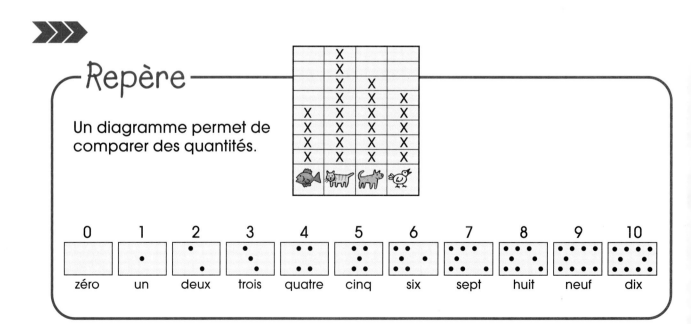

Repère

Un diagramme permet de comparer des quantités.

		X		
		X		
		X	X	
		X	X	X
	X	X	X	X
	X	X	X	X
	X	X	X	X
	X	X	X	X

0	1	2	3	4	5	6	7	8	9	10
zéro	un	deux	trois	quatre	cinq	six	sept	huit	neuf	dix

Explique l'utilité des diagrammes. Qu'est-ce que cette activité t'a permis d'apprendre sur les autres élèves de la classe?

2. Se retrouver dans l'école

Comment fais-tu pour trouver ta classe dans l'école ?
Quelles indications donnerais-tu pour la situer dans l'école ?

**Pour mieux connaître l'école, décrivons des trajets
et apprenons à utiliser des points de repère.**

1. Nomme les lieux et les objets qu'on trouve dans ton école.

1.2

A | bibliothèque

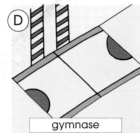

D | gymnase

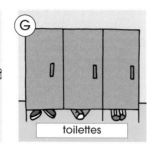

G | toilettes

J | secrétariat

B | halte-garderie

E | conciergerie

H | salle de réunion

K | salle des dîneurs

C | corridor

F | escalier

I | classe

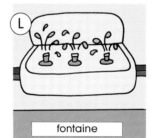

L | fontaine

2. Observe cet exemple de trajet.

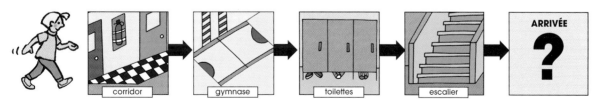

corridor → gymnase → toilettes → escalier → **ARRIVÉE ?**

3. En équipe, choisissez un lieu dans l'école et dessinez le trajet pour s'y rendre. Proposez-le ensuite à une autre équipe.

1-2a

Avec les membres de ton équipe, discute des réactions des autres élèves
à votre trajet et des modifications à y apporter.

1. Quels lieux et objets vois-tu lorsque tu te rends aux endroits suivants ?
Note-les dans l'ordre à l'aide des lettres correspondant aux illustrations de la page précédente.

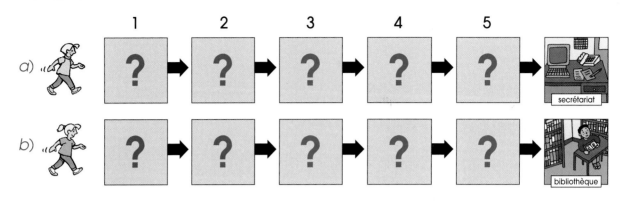

2. Place un jeton sur ce qui est le plus loin de ta classe.

a)

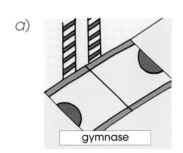

gymnase

ou

bibliothèque

b)

salle de réunion

ou

secrétariat

Repère

Un point de repère, c'est un endroit ou un objet qui aide à se retrouver.

Avec tes camarades, explique ce que tu dois dire lorsque tu décris un trajet.
À quel moment dans la vie est-ce utile de pouvoir décrire ou suivre un trajet ?

3. Les activités de la semaine

Quel jour sommes-nous aujourd'hui ? À quel moment de la journée sommes-nous ? Comment le sais-tu ?

Pour nous situer dans le temps, construisons un horaire afin de nous rappeler l'ordre des activités de la journée et de la semaine.

1. Décris la semaine de Mila à l'aide des activités présentées dans son horaire de la semaine.

	École		Maison
	avant-midi	après-midi	
Dimanche			Film
Lundi			
Mardi			
Mercredi			
Jeudi			
Vendredi			
Samedi			

2. Avec ton enseignant ou ton enseignante, construis l'horaire d'une journée de classe.

3. À l'aide de la grille et des illustrations qui te seront fournies, construis ton horaire de la semaine.

1-3a

Nomme les activités que tu fais en classe à différents moments de la journée et de la semaine.

1. À quelle étape de la journée fais-tu chacune des activités ci-dessous ?

Matin	Avant-midi	Après-midi	Soir	Nuit

2. Montre le jour de la semaine qui convient.

a) Aujourd'hui	D	L	M	M	J	V	S
b) Hier	D	L	M	M	J	V	S
c) Avant-hier	D	L	M	M	J	V	S
d) Demain	D	L	M	M	J	V	S
e) Après-demain	D	L	M	M	J	V	S

Repère

Il y a sept jours dans une semaine : **dimanche**, **lundi**, **mardi**, **mercredi**, **jeudi**, **vendredi** et **samedi**.

Dans une journée, il y a le **matin**, l'**avant-midi**, l'**après-midi**, le **soir** et la **nuit**.

Explique pourquoi il est utile de connaître l'horaire de sa journée, de sa semaine.

4. Les prénoms de la classe

Selon toi, quels prénoms de la classe ont le plus grand nombre de lettres ?
le moins grand nombre de lettres ?

**Pour mieux nous connaître, apprenons les prénoms des élèves
de la classe et comparons-les à l'aide de nombres.**

1. Écris ton prénom d'une façon originale sur une feuille.

2. Suggère des façons de classer les prénoms
de la classe selon leur nombre de lettres.

Mon nom est
Boussole !

Trouve combien de prénoms ont 4 lettres, 5 lettres, 6 lettres.
Trouve combien ont 2 lettres de plus que le tien, etc.

1. Observe les prénoms et réponds aux questions.

a) Combien de lettres a chacun des prénoms ?

b) Lis les indices. Trouve chaque fois le ou les prénoms dont il s'agit.

(A) Ces prénoms ont **plus** de 5 lettres.

(B) Ce prénom a **autant** de lettres que le prénom Marco.

(C) Ce prénom a **moins** de 4 lettres.

2. Énumère les nombres en ordre croissant.

a) 2 0 1 3

c) 5 0 7 4

b) 6 5 3 9

3. Sur une feuille, écris le nombre de lettres indiqué.

a) Plus de 4 lettres

b) Moins de 6 lettres

c) Une lettre de moins que 6

4. Compare le nombre de lettres des prénoms.

a) Gabrielle **?** **>** **?** Ludovic

b) Lola **?** **<** **?** Alice

c) Nicolas **?** **=** **?** Justine

À ton avis, que signifient les symboles **<** , **>** et **=** ?

5. Utilise les symboles **<**, **>** et **=** pour comparer les nombres.

a) 6 **?** 0

b) 4 **?** 1

c) 5 **?** 3

d) 2 **?** 3

e) 7 **?** 7

f) 5 **?** 8

Pour aider votre enfant à comparer des quantités, montrez-lui à jouer aux cartes, par exemple à «la bataille» (sans les figures), ou à des jeux où l'on avance avec des dés, etc. Profitez également de situations de la vie courante pour lui demander de mettre autant d'assiettes qu'il y a d'invités, de distribuer le même nombre de cartes à chacune des personnes, d'aller chercher deux verres de plus, etc.

Repère

Pour comparer des nombres, tu peux utiliser les symboles **<**, **>** et **=** .

$2 < 4$ $4 > 2$ $4 = 4$

Nomme tous les prénoms que tu as appris.
Quels symboles permettent de comparer des nombres ?

Thème 2

2.1

Ça revient

1. L'automne

Nomme les quatre saisons de l'année. Quelle saison commencera bientôt ?
Comment le sais-tu ? Qu'est-ce qui arrive toujours à l'automne ?
Pour mieux connaître les saisons, trouvons des particularités de l'automne.

1. Observe les deux affiches et donne un titre à chacune.

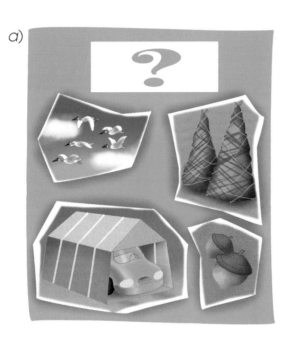

a)

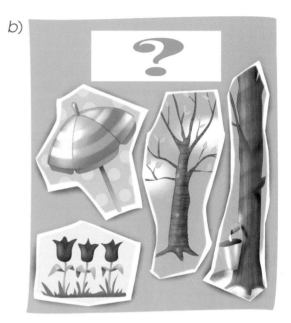

b)

2. Joins-toi à quelques camarades. Ensemble, trouvez ou illustrez d'autres objets, animaux ou actions qu'on pourrait ajouter sur chacune des affiches.

3. Trouvez une façon de classer les illustrations qui vous seront remises.

2-1a

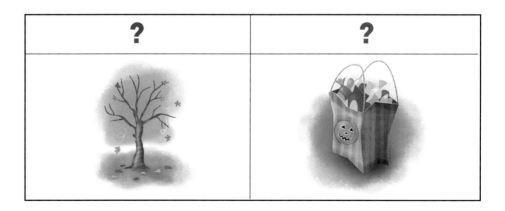

Présente le tableau de ton équipe à la classe et explique les choix que vous avez faits. Utilise ce tableau pour formuler une devinette.

seize

16

1. Dans chaque ensemble, pointe l'illustration qui ne se rapporte pas à l'automne.

a)

b)

c)

2. Quelle carte représente l'élément décrit?

- Ce n'est pas un vêtement.
- C'est naturel.
- Cela ne change pas de couleur à l'automne.

Les devinettes sont un excellent moyen de stimuler l'enfant sur le plan du raisonnement logique et elles favorisent la réflexion. N'hésitez pas à utiliser plusieurs critères (ex. : couleur, forme, grandeur, épaisseur), la négation (n'est pas bleu, etc.) et divers matériels (cartes à jouer, illustrations provenant de jeux de mémoire, vieux boutons, etc.).

1

2

3

3. Observe les illustrations et fais ce qui est demandé.

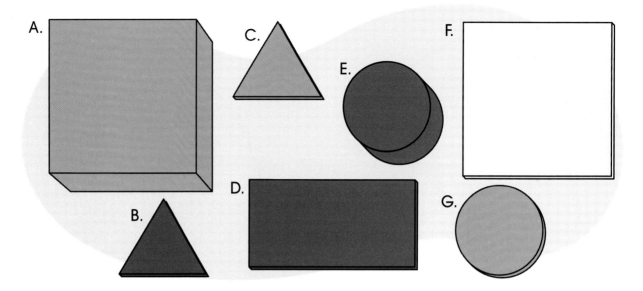

a) Nomme les blocs qui correspondent aux descriptions suivantes.

- C'est bleu.
- Ce n'est pas un triangle.
- C'est mince.

- C'est petit.
- C'est un cercle.
- C'est épais.

b) Choisis un bloc. Compose des indices et demande à la classe de deviner le bloc choisi.

Repère

Pour bien te faire comprendre, tu dois utiliser des mots précis.

C'est un triangle. Il est rouge et mince.

Décris les particularités de l'automne. Explique pourquoi il est important de donner des précisions quand on décrit un objet, une personne ou un lieu.

2. Ça ressemble à...

Explique en quoi certains objets de l'illustration se ressemblent et en quoi ils sont différents. À quoi le mot «solide» te fait-il penser?

Pour mieux décrire l'environnement, associons des formes à certains solides et classons les solides.

1. Joins-toi à quelques camarades pour observer la scène d'automne.

   a) Trouvez différentes façons de classer les objets pointés.

   b) Présentez vos classifications à la classe.

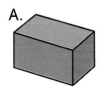

2.2

2. Nomme les objets pointés que tu peux associer aux solides ci-dessous.

A. 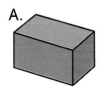   B. 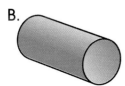   C.   D. 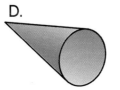   E.

Avec tes camarades, présente les groupements que vous avez faits.

1. Associe chaque objet de l'ensemble de gauche à un objet de l'ensemble de droite qui a une forme semblable.

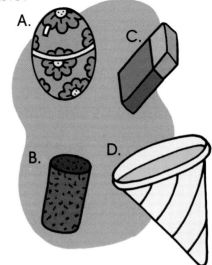

2. Observe le diagramme.

a) Quel objet est mal classé ?

b) Classe les objets du numéro 1 dans ce diagramme.

Repère

Lorsque tu étudies la forme des objets, tu fais de la géométrie.

Nomme les termes que tu as utilisés pour décrire les objets de ton environnement.

3. De la suite dans les idées

Quels jeux de cartes connais-tu ? Qu'est-ce qu'une suite ?

Pour apprendre à développer des méthodes de travail, construisons des suites et observons les régularités.

1. Observe les suites de cartes. Dis ce que tu remarques.

a)

b)

2. Joins-toi à quelques camarades.

a) Ensemble, créez une suite avec des cartes.

b) Demandez à une autre équipe de continuer votre suite.

Explique ce que tu as fait pour créer une suite
et pour continuer celle d'une autre équipe.

2.3

Parmi les illustrations proposées, choisis celle qui complète chacune des suites.

Illustrations

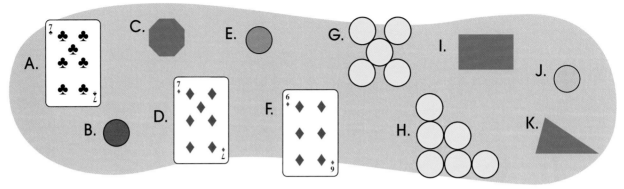

Suites

a)
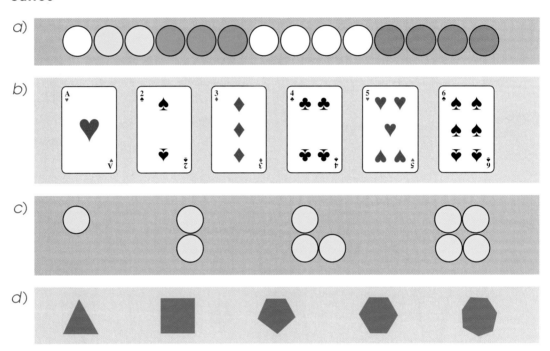

b)

c)

d)

Repère

Pour continuer une suite, observe ce qui change et ce qui ne change pas entre deux termes qui se suivent.

À travers l'étude des régularités, votre enfant apprend à établir des relations entre les éléments, à généraliser les règles découvertes et à faire des prédictions à propos du monde qui l'entoure. Faites-lui observer des régularités telles que les suites répétitives qu'on retrouve sur les papiers peints ou les vêtements ainsi que des suites telles que les numéros d'appartement.

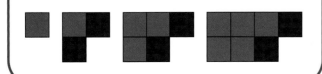

Nomme des exemples de régularités que tu peux trouver dans tes activités, sur des objets et des vêtements, dans la décoration et en musique.

Ça bouge

Un projet : **Fabrique un pantin**

Comment pourrais-tu fabriquer un pantin de ta grandeur ?

À quoi ou à qui ressemblerait ton pantin ? De quel matériel auras-tu besoin pour le fabriquer ? De sacs d'épicerie, de ficelle, de tubes de carton, de boîtes de carton vides ?

Comment pourrais-tu mesurer la longueur des membres de ton pantin ? Quel nom pourrais-tu lui donner ?

Présente ta production et participe à ton évaluation.

1. On compte sur soi

Nomme les différentes parties de ton corps : celles que tu as en double, en triple, en plus grand nombre. Nomme celles qui sont difficiles à compter.

Utilisons des ressources autour de nous pour représenter des nombres de différentes façons.

1. Observe les cartes ci-dessous. Dis ce que tu remarques.

2. Joins-toi à quelques camarades pour fabriquer une affiche. Ensemble, représentez un même nombre de différentes façons à l'aide d'illustrations montrant des parties du corps.

3. Présentez votre affiche aux élèves d'une autre équipe et demandez-leur de deviner le nombre choisi.

Avec les membres de ton équipe, discute des réactions des autres élèves à votre affiche et des modifications à y apporter.

1. Combien y a-t-il de pieds sous la table ?

2. Combien y a-t-il d'orteils dans ces trois chaussures ?

3. Combien y a-t-il d'oreilles en tout sous les chapeaux ?

4. Combien ont-ils de pattes en tout ?

Comme la calculatrice fait partie intégrante de la vie quotidienne, il est important de familiariser l'enfant avec cet outil. Soyez sans crainte, votre enfant apprendra à s'en passer lorsque le calcul sera simple. De plus, l'utilisation de la calculatrice ne sera pas encouragée lorsque l'enfant aura à apprendre certaines techniques de calcul.

Avant d'inventer des symboles comme les chiffres pour écrire les nombres, les peuples du monde entier savaient compter. Ils utilisaient des parties de leur corps pour le faire, par exemple les dix doigts de la main. Encore aujourd'hui, on apprend à calculer avec nos dix doigts.

Appuie sur [on/c] après chaque numéro.

5. Quel est le plus petit nombre que tu peux afficher sur ta calculatrice ?

6. Quel est le plus grand nombre que tu peux afficher sur ta calculatrice ?

7. Sur quelles touches dois-tu appuyer pour que ta calculatrice affiche les nombres suivants ?

a) **63**   Sur le [3], puis sur le [6] *ou* sur le [6], puis sur le [3] ?

b) **46**   Sur le [4], puis sur le [6] *ou* sur le [6], puis sur le [4] ?

Repère

Il y a plusieurs façons de représenter un nombre.

huit

Trouve d'autres façons de représenter un nombre.

2. Faire des pieds et des mains

Nomme des objets que tu peux associer aux mots «court», «étroit», «haut», «épais», «mince». Trouve des situations où on a besoin de mesurer et explique comment on le fait.

Pour mieux connaître notre corps, comparons la longueur de quelques-unes de ses parties.

1. Observe les illustrations suivantes.

a) Sur la feuille qui te sera fournie, note ce qui est le plus long selon toi.

3.2

3-2a

b) Vérifie tes estimations à l'aide d'une ficelle. Note, dans chaque cas, la partie de ton corps qui est la plus longue.

Estimation		Vérification	
le tour de ton poignet	☐	le tour de ton poignet	☐
ou		*ou*	
le tour de ta cheville	☐	le tour de ta cheville	☐

2. Joins-toi à trois élèves.
Ensemble, trouvez la personne…

- qui est la plus grande ;
- qui a les pieds les plus courts.

Dis ce que tu as trouvé étonnant lorsque tu as vérifié tes estimations.
Explique comment tu as procédé pour faire le numéro 2.

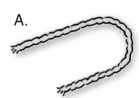

1. Observe les illustrations de ficelles.

A.

B.

C.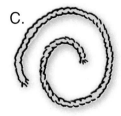

a) Quelle ficelle te semble la plus longue ?

b) Quelle est la ficelle la plus courte ?
Utilise une ficelle ou un bout de laine
pour la trouver.

c) Place les ficelles en **ordre croissant**
de longueur. Donne ta réponse à l'aide
des lettres correspondantes.

«En ordre croissant»
signifie «du plus petit
au plus grand».

Les enfants ne comprennent pas toujours le sens du vocabulaire utilisé dans le langage courant, car celui-ci manque parfois de précision. « Que tu es grand ! » peut signifier que l'enfant a grandi (en hauteur), qu'il est lourd et même qu'il est « raisonnable ». N'hésitez pas à mentionner les unités standard (ex. : « tu as grandi de deux centimètres ») et à employer un vocabulaire plus précis afin d'aider l'enfant à distinguer les divers aspects de la mesure (longueur, surface, volume, masse, température, vitesse, etc.).

2. Mets un jeton sur le crayon qui est plus long que

et plus court que  .

3. Mesure ce qui est indiqué en utilisant la longueur d'un de tes souliers.
Donne ta réponse en précisant le nombre de fois que tu as utilisé ton soulier.

a)

La hauteur de ton pupitre.

c)

La longueur de ton bras.

b)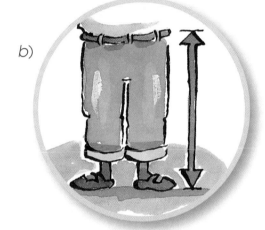

La longueur de l'une
de tes jambes.

d)

Ton tour de taille.

Repère

Pour mesurer la longueur
d'un objet, tu peux utiliser
la longueur d'une
chaussure, d'un bout
de ficelle, d'un crayon,
d'un cube, etc.

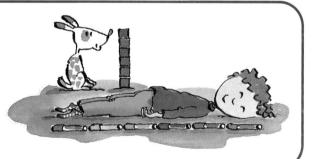

Décris comment tu t'y prends pour mesurer la longueur d'un objet.
Explique l'utilité de mesurer la longueur de différentes parties d'objets
ou de personnes.

3. Des prouesses en calcul

Dis ce que tu connais du jeu de dominos : les règles, le nombre de points, la disposition des points.

Pour apprendre à respecter les idées des autres, amusons-nous à classer nos dominos et à trouver différentes façons de représenter un même nombre sur un domino.

3-3a

1. Découpe les dominos qu'on te remet. Observe la disposition des points sur les dominos. Que remarques-tu ?

2. Joins-toi à un ou à une camarade.

   a) Trouvez des façons de classer vos dominos.

   b) Présentez-les à une autre équipe.

3. Jouez une partie de dominos.

   a) Jouez d'abord selon les règles habituelles.

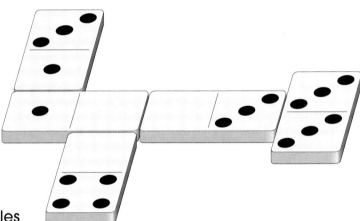

   b) Proposez de nouvelles règles et expérimentez-les en jouant de nouveau aux dominos.

Quelle règle a été suivie ici ?

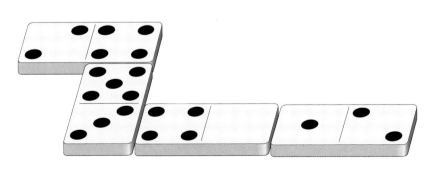

   c) Comparez votre nouveau jeu avec celui d'une autre équipe.

Combien de dominos as-tu du 6 ? du 8 ? du 9 ? Que remarques-tu ? Que peux-tu faire pour t'assurer d'avoir tous les dominos du 8 ? du 9 ? du 10 ?

1. Certains dominos sont vides. Dessine-les sur une feuille en indiquant les points qui manquent.

a) **5**

b) **7**
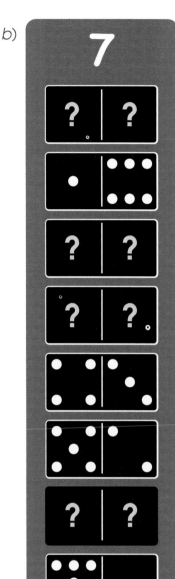

c) **6**
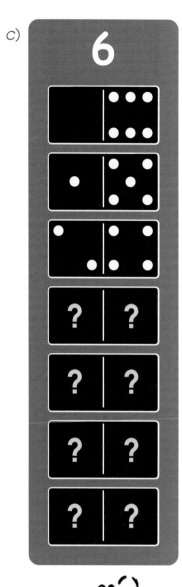

2. Sur une feuille, dessine quatre dominos, puis représente le nombre 8 de différentes façons.

La disposition des points sur les dés ou les dominos peut aider votre enfant à se représenter visuellement des petites combinaisons de nombres pour calculer mentalement. N'insistez pas pour lui faire apprendre par cœur toutes les combinaisons permettant d'obtenir un même nombre. L'enfant a encore besoin d'effectuer ces opérations de façon concrète, à l'aide de ses doigts, de jetons, de dessins ou de petits objets. Il faut donc l'encourager dans ce sens, sans l'amener trop rapidement dans des calculs abstraits (ex. : 4 + 5 = 9).

3. Combien y a-t-il de points sur le domino illustré à gauche ?
Montre un domino qui a un point **de plus** ou dessine-le sur une feuille.

Mon domino	Un de plus
Exemple :	
a)	? | ?
b)	? | ?
c)	? | ?
d)	? | ?
e)	? | ?
f)	? | ?

Utilise tes cartes-nombres
et des jetons pour t'aider.

4. Combien y a-t-il de points sur le domino de la colonne du centre ?
Que devrait-on voir sur les autres dominos ?

Un de moins	Mon domino	Un de plus
Exemple :		
	Points : **4**	
a)		
? | ?	Points : ?	? | ?
b)		
? | ?	Points : ?	? | ?
c)		
? | ?	Points : ?	? | ?
d)		
? | ?	Points : ?	? | ?

Repère

Pour mieux te représenter un nombre, tu peux t'en faire une image dans ta tête.

Discute avec tes camarades des nombres que vous avez représentés sans trop de difficulté et de ceux que vous reconnaissez rapidement.

Ça fait peur

1. Le petit chaperon

Explique ce que tu dois dire absolument pour raconter
une histoire que tu connais.

**Pour être plus habile à résoudre un problème, apprenons
à reconnaître les données essentielles.**

1. Écoute l'histoire du petit chaperon orange
et observe les illustrations ci-dessous.

4-1a

2. Parmi les illustrations qui te seront remises, choisis celles qui te semblent
essentielles pour raconter cette histoire. Colle-les dans l'ordre sur la feuille que
l'on te remettra.

3. Joins-toi à d'autres élèves et comparez les illustrations que vous avez
choisies.

Dis pourquoi certaines illustrations sont essentielles et d'autres ne le sont pas.

1. Lis les indices, puis réponds aux questions.

a) Quel panier est celui du petit chaperon rouge.

b) Quels indices sont essentiels ?

Indices

1. Il y a une 🍾 dans le 🧺.

2. Le 🧺 est devant le 👧.

3. Il y a un 🟫 sous le 🧺.

2. Lis les indices, puis réponds aux questions.

a) Quelle maison est celle de la grand-mère ?

b) Quels indices sont essentiels ?

Indices

1. Elle a une 🏭.

2. Elle a une 🪵.

3. Elle a une ⊞ sur la 🚪.

3. Lis les indices, puis réponds aux questions.

a) Quelle collation est celle de la grand-mère ?

b) Quels indices sont essentiels ?

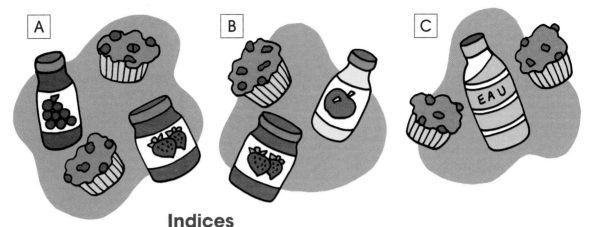

Indices

1. Un pot de  .

2. Un jus de fruit.

3. Deux .

4. À ton tour ! Choisis une des illustrations sans la nommer.
Donne trois indices qui pourraient permettre à tes camarades de deviner
l'illustration que tu as choisie.

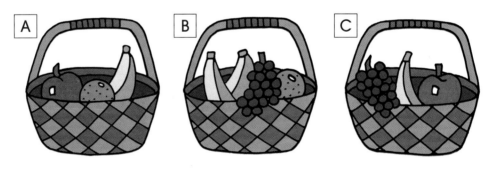

Repère

Pour trouver la solution à un problème, tu repères d'abord ce qui est demandé, puis tu cherches les données essentielles.

Lorsque vous lisez des histoires à votre enfant, posez-lui des questions pour vérifier sa compréhension, faites-lui nommer le personnage principal de l'histoire, son problème et la solution qu'il a trouvée pour le surmonter. Vous l'aiderez ainsi à développer son habileté à comprendre un texte, ce qui lui sera utile pour résoudre un problème en mathématique.

Explique ce que tu as fait pour trouver la bonne illustration à chaque numéro.

2. Deux par deux

Explique comment on joue à ces jeux, à ton avis.

Travaillons en équipe pour améliorer nos compétences en mathématique.

Joins-toi à un ou à une camarade pour jouer aux jeux ci-dessous.

1. La bataille

4.2

2. Une belle école

3. Deux de plus

Dis comment ces jeux t'ont permis d'améliorer tes compétences mathématiques.

1. Observe le diagramme et dis le nom de la saison qui correspond à chaque énoncé.

La saison des anniversaires des amis

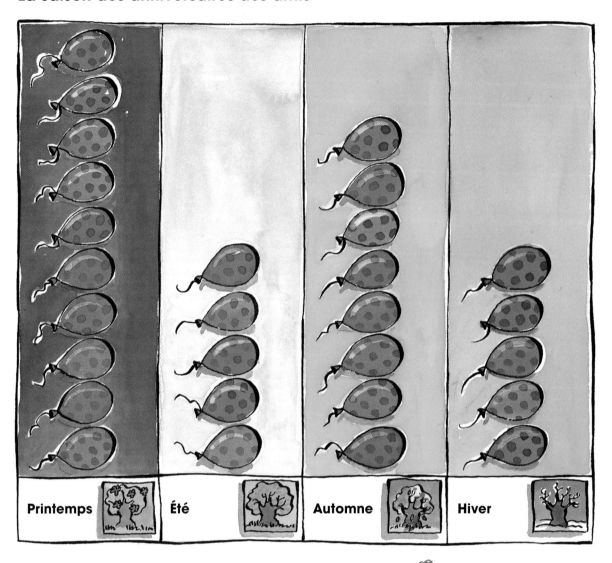

a) Il y a **le plus** de .

b) Il y a **autant** de qu'en .

c) Il y a 3 **de plus** qu'en .

d) Ton anniversaire a lieu dans cette saison.

e) Combien de y a-t-il **en tout** en et en ?

2. Observe chaque série de dominos et dessine sur une feuille les points qui manquent dans le dernier.

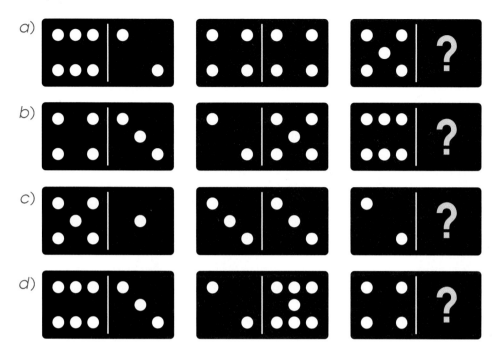

a)

b)

c)

d)

3. Sur une feuille, dessine et colorie deux boutons pour continuer chaque suite.

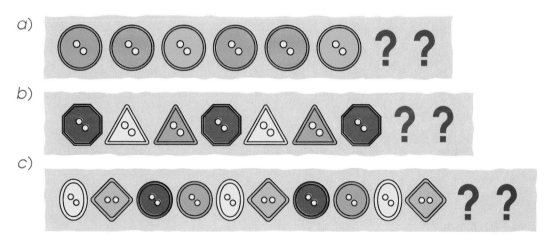

a)

b)

c)

┌─ Repère ─────────────────────────────

Pour t'aider à trouver la solution à un problème...

• repère ce qui est demandé ;

• prends le temps de lire et d'observer plus d'une fois toutes les données qui te sont fournies.

Dis ce que tu as trouvé facile et difficile à faire. Qu'est-ce que tu peux faire maintenant que tu ne pouvais pas faire au début de l'année ?

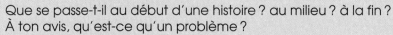

3. Dans mon petit panier

Que se passe-t-il au début d'une histoire ? au milieu ? à la fin ?
À ton avis, qu'est-ce qu'un problème ?

Pour apprendre à résoudre des problèmes, essayons d'en composer quelques-uns et trouvons la solution à l'aide de dessins.

1. Observe chacune des étapes de l'histoire et raconte ce qui s'est passé.

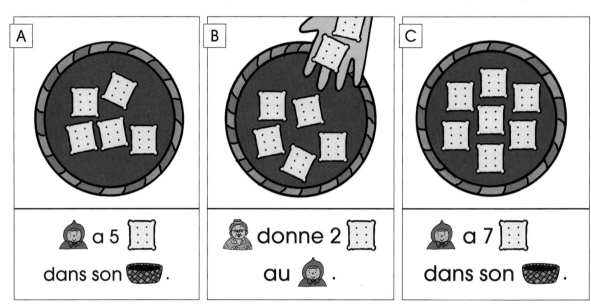

2. Parmi les cartes qu'on te remettra, choisis trois illustrations et raconte l'histoire illustrée ci-dessous.

4-3a

3. Joins-toi à quelques camarades. Ensemble, composez à votre tour une histoire à l'aide de cartes ou mimez-la devant la classe.

Qu'est-ce qui vous a posé des difficultés au moment de composer une histoire en équipe ? Comment s'est ensuite déroulé le travail ? Explique en quoi une histoire et un problème mathématique se ressemblent, en quoi ils sont différents.

Lis chaque problème et trouve la solution.
Fais un dessin et utilise des jetons pour t'aider.

a) Mimi a 4 ▢ et 2 ▢. Elle donne 2 ▢ à Léo.

Combien de ▢ Mimi a-t-elle maintenant ?

b) Papa a 6 ▢. Maman lui donne 3 ▢.

Combien de ▢ papa a-t-il maintenant ?

c) Éva met 4 ▢ dans son sac.

Sa maman lui donne 3 ▢. Éva mange 1 ▢.

Combien de ▢ Éva a-t-elle maintenant ?

Votre enfant pourra résoudre très tôt des problèmes d'addition et de soustraction si vous lui donnez la possibilité de manipuler des objets. N'hésitez pas à lui en proposer à partir de situations de la vie courante (ex. : ajouter des ustensiles sur la table et lui demander de raconter ce qui s'est passé avant, pendant et après cette action).

Repère

Pour t'aider à résoudre un problème, tu peux faire un dessin.

Nomme les situations où tu as ajouté des biscuits et celles où tu en as enlevé.
Explique en quoi tes jetons t'ont été utiles.

4. Des personnages imaginaires

 Donne un titre à ce tableau. Nomme des figures géométriques que tu peux utiliser pour créer un personnage.

Pour réaliser un projet qui fait appel à la créativité, fabriquons un personnage imaginaire à l'aide de figures géométriques.

1. Observe l'œuvre de l'artiste Fernand Léger.

À quelles figures géométriques peux-tu associer le pantalon ? le chapeau ? la fleur à la boutonnière ? l'écharpe ?

F. LÉGER

2. Joins-toi à un ou à une camarade. Créez un personnage imaginaire à l'aide de figures géométriques que vous dessinerez.

4-4a 4-4b

3. Écrivez le nombre de figures géométriques de chaque sorte que vous avez utilisées pour réaliser votre œuvre.

4-4c

Une œuvre à décrire

Œuvre de : _____

Titre de l'œuvre : _____

Indique le nombre de figures de chaque sorte.

Cercles	Triangles	Quadrilatères			Figures qui ont plus de 4 côtés
		Carré	Rectangle	Autres	Exemples :

À l'aide de la fiche que vous avez remplie, présente à la classe la création de ton équipe.

1. Observe les trois ensembles.

  a) Quelles figures sont mal classées ?

  b) Dans quel ensemble ces figures devraient-elles être placées ?

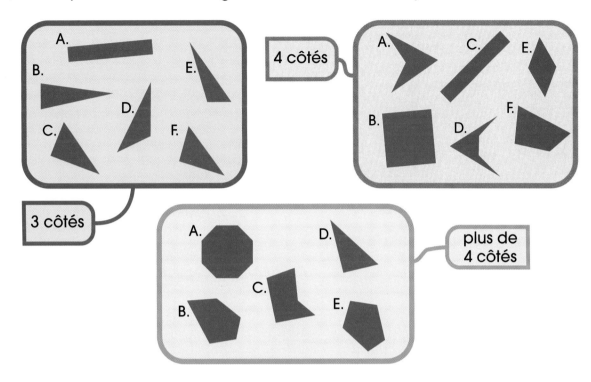

2. On a imprimé quelques faces de solides dans de la pâte à modeler. Associe chaque solide à ses empreintes.

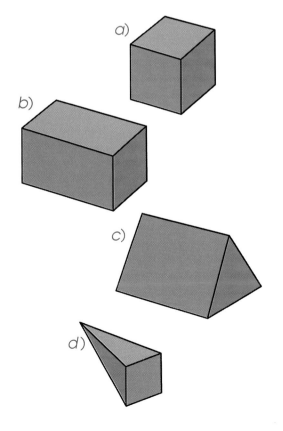

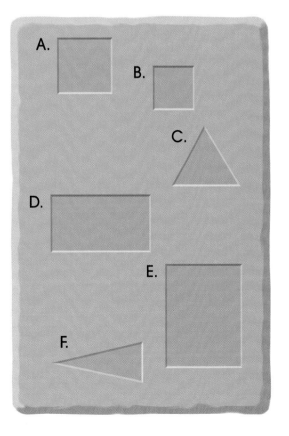

3. Les figures que tu vois dans le tableau ont été faites, modifiées et déplacées à l'aide d'un ordinateur.

- Comment appelle-t-on les figures illustrées dans le tableau ?

- Observe la figure de départ et la figure modifiée.
  Quelle modification a été apportée ?

Modifications

A : Agrandir 2 côtés

B : Agrandir 4 côtés

C : Rapetisser 2 côtés

D : Rapetisser 4 côtés

E : Faire pivoter la figure

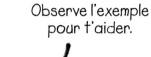

Observe l'exemple pour t'aider.

Figure de départ	Figure modifiée	Modification apportée
Exemple :		*C*
a)		*?*
b)		*?*
c)		*?*
d)		*?*

4. Observe la suite de figures géométriques.
Continue-la sur une feuille en ajoutant 3 figures.

Repère

Rectangle

Triangle

Les rectangles ont quatre côtés.
Leurs côtés sont toujours droits.
Les côtés opposés des rectangles
sont de la même longueur.
Les rectangles ont toujours quatre
«coins» identiques.

Les triangles ont trois côtés.
Leurs côtés sont toujours droits.

Nomme les figures géométriques que tu connais et donne les caractéristiques
qui t'aident à les reconnaître. Dis comment tu procéderais pour faire une
création à l'aide de cercles seulement.

Ça vient au monde

1. Des petits

Qu'est-ce qu'une portée ? D'après toi, combien de petits un hamster a-t-il dans une portée ? Combien un chien en a-t-il ? un chat ? Combien de portées peuvent-ils avoir par année ?

Pour mieux connaître les animaux et pour communiquer de façon claire, utilisons des expressions mathématiques pour décrire les portées de certains animaux.

1. Quelle information te donne le tableau ?

	Nombre de petits dans une portée	Nombre de portées dans une année
Le hamster	4 à 15	2 à 3
Le chien	2 à 10	2
Le chat	3 à 6	2

2. Joins-toi à des camarades. Imaginez des portées qu'un de ces animaux pourrait avoir. Représentez-les à l'aide de dessins ou de jetons, puis par une expression mathématique.

	1re portée	2e portée	3e portée	Total
	4	3	—	7

Expression mathématique : **4 + 3 = 7**

3. Votre animal a eu beaucoup de petits ! Vous devez en donner à l'animalerie. Représentez la situation.

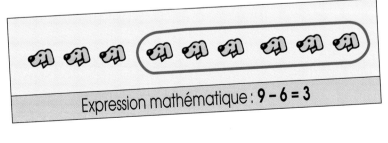

Expression mathématique : **9 − 6 = 3**

Dis ce que tu fais pour savoir si tu dois additionner ou soustraire.
Comment fais-tu pour écrire une expression mathématique ?

1. Observe le diagramme, puis réponds aux questions.
Utilise des jetons pour t'aider.

Nombre de petits par portée

	porc	hamster	chien	lapin	souris	chat
10				🐰		
9				🐰		
8				🐰		
7				🐰		
6	🐷			🐰		
5	🐷			🐰		
4	🐷	🐹		🐰	🐭	
3	🐷	🐹		🐰	🐭	🐱
2	🐷	🐹	🐕	🐰	🐭	🐱
1	🐷	🐹	🐕	🐰	🐭	🐱

a) Quel animal peut avoir **autant** de petits que le 🐹 ?

b) Quel animal a **le plus** de petits par portée ?

c) Combien de petits le 🐰 peut-il avoir **de plus** que le 🐷 ?

d) Combien de petits le 🐱 a-t-il **de moins** que la 🐭 ?

e) Si le 🐕 a deux portées identiques,
combien cela fait-il de petits ?

Ça fait beaucoup
de petits !
Et, imagine, souvent
ils en ont plus !

2. Écris en ordre croissant les nombres
représentés dans le diagramme.

3. Luce a proposé un jeu. On fait tourner deux fois la roulette et on additionne les points obtenus. Calcule les points de Luce et de ses camarades.

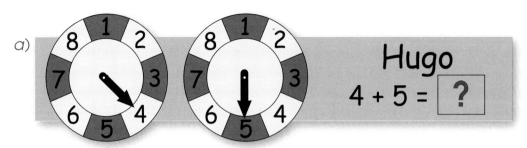

a) Hugo
$4 + 5 = \boxed{?}$

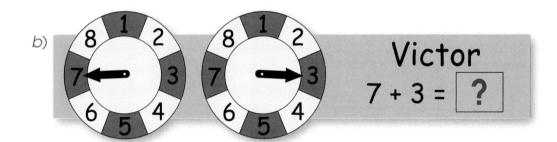

b) Victor
$7 + 3 = \boxed{?}$

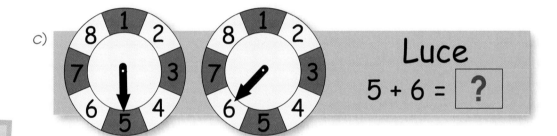

c) Luce
$5 + 6 = \boxed{?}$

Le mot «calcul» vient du mot *calculus* qui signifie «caillou». Il y a longtemps, on comptait avec des cailloux.

d) Kali
$2 + 7 = \boxed{?}$

e) Myriam
$1 + 4 = \boxed{?}$

4. Quelle personne a obtenu le plus de points ?

5. La flèche indique le nombre de points que chaque personne avait au départ. Trouve le nombre de points obtenu par chaque personne à la fin. Utilise des jetons ou d'autre matériel pour t'aider.

a)

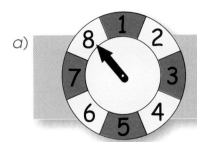

Léo : 8 – 3 = $\boxed{?}$

5-1b

b)

Alicia : 5 + 2 = $\boxed{?}$

c)

Lucas : 7 – 4 = $\boxed{?}$

Repère

Tu peux utiliser une expression mathématique pour représenter des situations d'addition ou de soustraction.

Exemples :

Le hamster a eu 3 petits, puis 2 autres.
En tout, il a eu 5 petits.
3 + 2 = 5
C'est une addition.

Le hamster a eu 9 petits.
On a donné 5 petits à l'animalerie. Il reste 4 petits.
9 – 5 = 4
C'est une soustraction.

Afin de permettre à votre enfant de mieux comprendre le sens des opérations, n'hésitez pas à varier les mots qui peuvent être utilisés pour désigner une addition ou une soustraction (ex. : j'en enlève, on a perdu, il faut en mettre encore, tu en as gagné). Vous pouvez l'inviter à décrire ses gestes à l'aide de mots ou d'une expression mathématique, ou encore procéder à l'inverse en lui demandant ce que signifie une expression mathématique.

Formule d'autres questions que tu pourrais poser à partir des données fournies dans le diagramme. Explique pourquoi c'est utile dans la vie de savoir faire des additions et des soustractions.

2. Des boîtes à trésors

En quoi les boîtes que toi et tes camarades avez apportées sont-elles semblables? En quoi sont-elles différentes? Quelles figures géométriques reconnais-tu sur les faces de ces boîtes?

Récupérons des boîtes de carton et décorons-les avec du papier pour apprendre à compter et à nommer les faces qui composent des solides.

1. Trace les contours des faces de ta boîte sur une feuille.

2. Joins-toi à cinq autres élèves. Placez pêle-mêle vos boîtes et les dessins de leurs contours. Demandez ensuite à une autre équipe d'associer chaque boîte à son contour.

3. Observez vos boîtes et les contours que vous avez dessinés, puis remplissez le tableau qui vous sera remis.

	Nombre de faces	Nombre de ▢	Nombre de ▭	Nombre de △
Boîte de :				
Boîte de :				
Boîte de :				

4. Découpez les contours que vous avez tracés. Collez-les sur votre boîte et ajoutez des décorations.

Explique comment tu as fait pour associer les boîtes à leurs contours.
Fais part de tes observations à partir du tableau décrivant chaque boîte.
À quoi pourrait servir la boîte que tu as fabriquée?

1. Quelles pièces a-t-on utilisées pour faire la cabane d'oiseaux ?

2. Tu veux coller une gommette sur chaque face des boîtes.
Combien te faudra-t-il de gommettes pour chaque boîte ?

a)

b)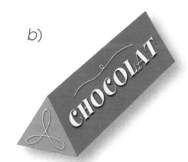

c)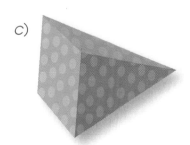

3. Décris chacun des solides illustrés en remplissant le tableau qui te sera remis.

	Nombre de ▪	Nombre de ▲	Nombre de ▬	Nombre de faces
a)	?	?	?	?
b)	?	?	?	?
c)	?	?	?	?
d)	?	?	?	?

4. À quel solide du tableau précédent peux-tu associer la pyramide égyptienne ?

Repère

Les boîtes dont tous les côtés sont plats ont souvent des faces en forme de carrés, de rectangles ou de triangles.

Explique comment vous avez procédé pour compter les faces des boîtes. En quoi les faces des boîtes de conserve sont-elles différentes de celles des boîtes de céréales ?

Quelle sorte de boîte est le plus souvent utilisée pour l'emballage des aliments ? Pourquoi, à ton avis ? Donne des exemples d'objets qui peuvent être réutilisés.

3. Une question de sous

Quelles pièces de monnaie connais-tu ? Que fait-on avec des pièces de monnaie ? Selon toi, comment se faisaient les échanges avant qu'il y ait de la monnaie ?

Pour établir des liens entre notre système de numération et la valeur de certaines pièces de monnaie, trouvons différentes façons de représenter un même nombre.

1. Joins-toi à un ou à une camarade. Ensemble, estimez et vérifiez la quantité de sous qu'on vous remet. Faites ensuite vérifier votre résultat par une autre équipe.

5.3

> Avant l'invention de la monnaie, les gens faisaient du troc. Ils échangeaient des objets contre d'autres objets. Quand toi et tes amis échangez des objets contre d'autres (ex. : des cartes ou des billes), vous faites aussi du troc.

2. Dans le tableau qui vous sera remis, notez différentes façons de représenter le montant d'argent que vous avez reçu.

Différentes façons d'obtenir _____ ¢			
Nombre de ⬤	Nombre de ⬤	Nombre de ⬤	Nombre de pièces de monnaie

5-3a

Explique ce que tu as fait pour compter le nombre de sous avec justesse. Combien de façons différentes avez-vous trouvées pour représenter le montant d'argent ? Laquelle demande le plus de pièces de monnaie ? Laquelle en demande le moins ?

1. Échange les pièces de 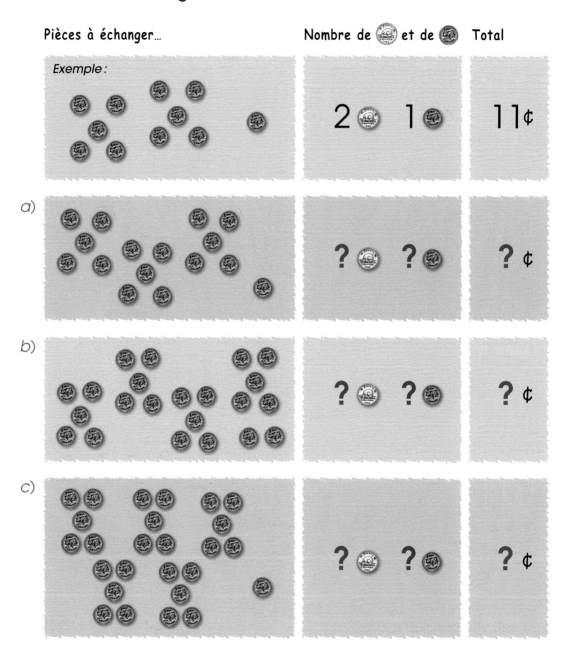 contre le plus de pièces de 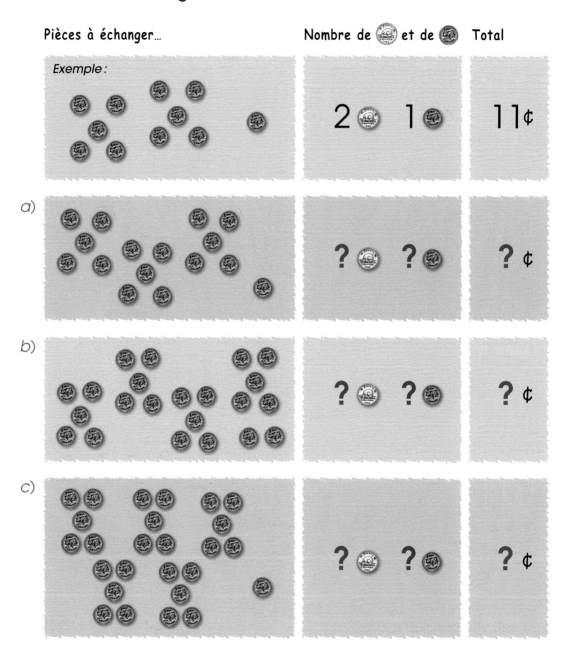 possible.

- Combien de pièces de 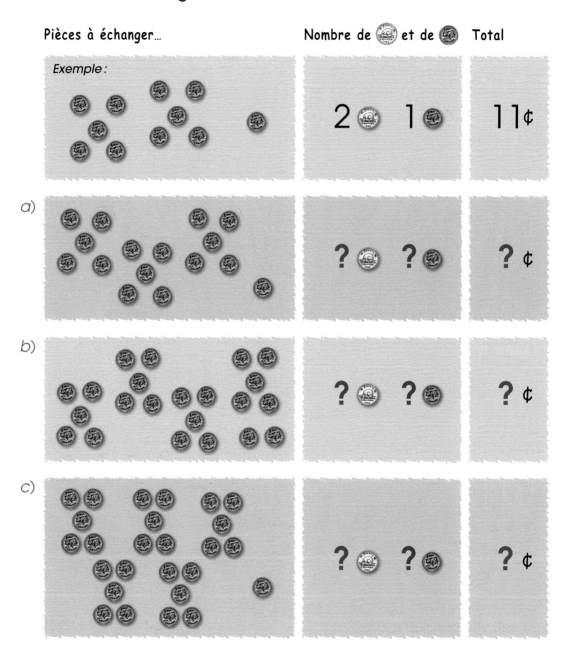 et de 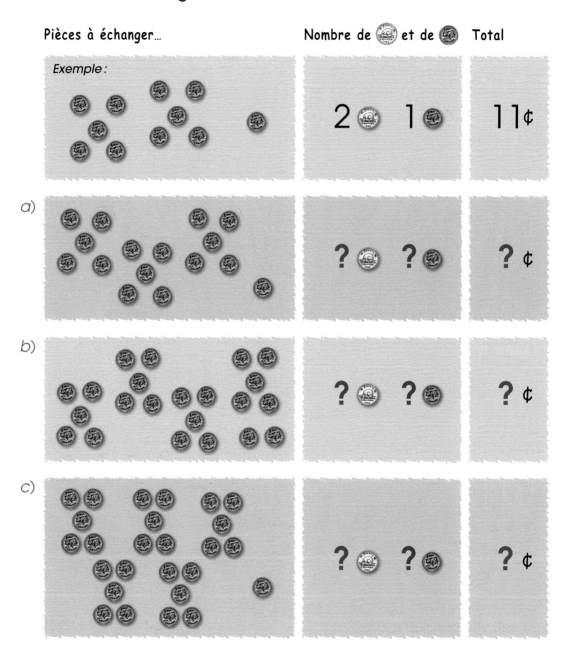 obtiens-tu ?

- Quel montant d'argent as-tu au total ?

Pièces à échanger…	Nombre de 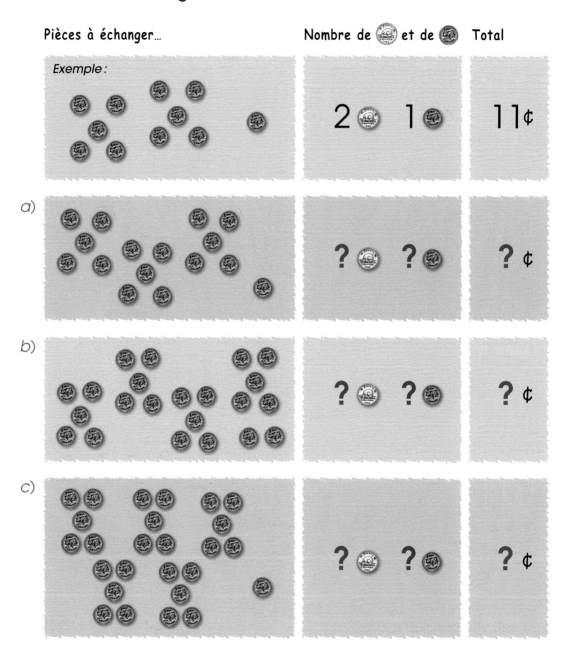 et de 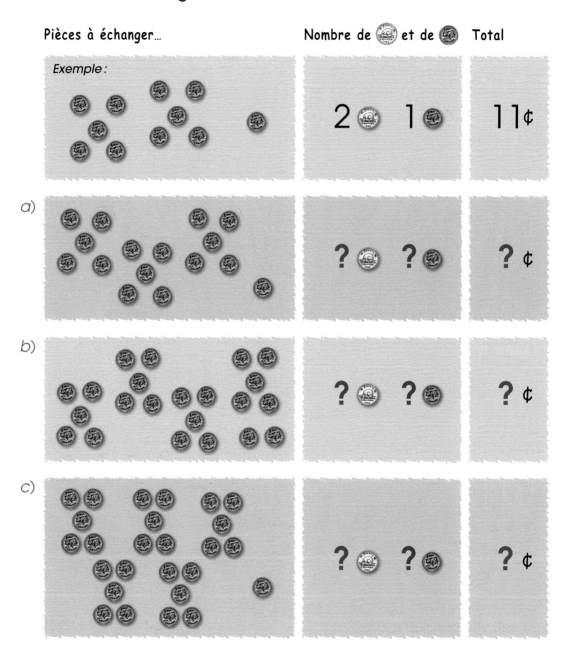	Total

Exemple :

	2 1	11¢
a)	? ?	? ¢
b)	? ?	? ¢
c)	? ?	? ¢

Le comptage de la monnaie est un excellent moyen d'aider votre enfant à apprendre des techniques de dénombrement et à comprendre l'équivalence entre certaines pièces.

Invitez votre enfant à classer des pièces selon leur valeur, à former des groupes de 5 avec des pièces de 1¢ pour ensuite les compter par 5, à faire des groupes de 10 pour ensuite les compter par 10. Faites des jeux d'échanges : 5 pièces de 1¢ contre une pièce de 5¢, 10 pièces de 1¢ contre une pièce de 10¢, etc.

2. Regroupe les objets par dizaines. Combien de dizaines obtiens-tu ? Combien d'unités non groupées en dizaine as-tu ? Observe l'exemple pour t'aider.

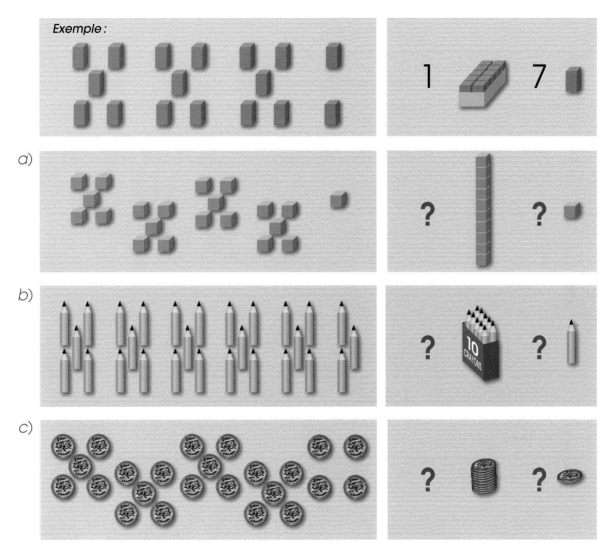

Repère

Lorsqu'il y a beaucoup d'objets à compter, tu peux…

- les grouper selon une quantité donnée ;
- les échanger contre un autre objet qui a la même valeur.

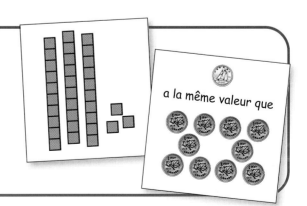

a la même valeur que

Nomme des objets qui sont vendus par groupe de 4, de 6, de 12.
Explique pourquoi, à ton avis, il y a plusieurs pièces de monnaie différentes et pourquoi il y a aussi du papier-monnaie. Que pourrais-tu acheter avec 10 ¢, 15 ¢, 25 ¢ ? Comment fait-on pour avoir des sous ?

Ça grandit

Un projet : **Présente l'histoire d'une vie**

Que pourrais-tu faire pour présenter l'histoire de ta vie ou celle d'une autre personne ?

Quelle personne choisis-tu ? Combien d'années ou d'étapes de sa vie seront représentées ? Quels événements ont marqué les principales étapes de sa vie ? Comment présenteras-tu la vie de cette personne ? Quels moyens pourrais-tu utiliser pour trouver l'information dont tu as besoin ?

Présente ta production et participe à ton évaluation.

1. Une course dans le temps

Depuis ta naissance, quelles ont été les étapes importantes de ta vie ?
Quelles seront les prochaines ? D'après toi, que feras-tu à 12 ans ? à 16 ans ?
à 25 ans ? Jusqu'à quel nombre peux-tu compter sans erreur ?

Construisons une planche de jeu pour mieux connaître les étapes d'une vie tout en apprenant à lire et à ordonner des nombres.

1. Joins-toi à d'autres élèves. Ensemble, découpez les cartes qu'on vous remettra. Collez-les ensuite à l'endroit approprié sur la planche de jeu qui vous sera remise.

6.1

6-1a

6-1b

2. Pensez à d'autres événements de la vie. Illustrez les autres cases en dessinant directement sur la planche de jeu ou en utilisant les illustrations qui vous seront remises.

6-1b

3. Votre planche de jeu est terminée. Déplacez-vous selon les règles qui y sont indiquées.

Dis comment vous avez procédé dans ton équipe pour placer les illustrations sur la planche de jeu. Explique de quelle façon on avance sur la planche de jeu.

1. Observe la section de la planche de jeu ci-dessous,
puis nomme les nombres qui manquent.

4	5	*a)* ?	*b)* ?	8	9
14	*c)* ?	*d)* ?	17	18	19
24	*e)* ?	26	27	*f)* ?	29

2. Trouve le nombre de départ ou le nombre que
tu obtiens à l'arrivée, selon le cas. Tu peux utiliser une
planche de jeu pour t'aider.

*Quand vous jouez à
des jeux de société avec
votre enfant (ex. : jeu de
parcours), demandez-lui
de compter les points
sur le dé, de nommer le
nombre écrit sur la case
d'arrivée, etc. Pour
profiter au maximum
de ce genre de jeu,
inventez de nouvelles
consignes (ex. : lancer
deux dés et en choisir un
seul pour effectuer son
déplacement).*

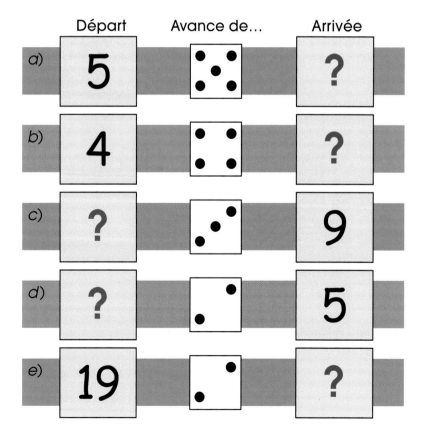

	Départ	Avance de…	Arrivée
a)	5	⚄	?
b)	4	⚃	?
c)	?	⚂	9
d)	?	⚁	5
e)	19	⚁	?

3. Choisis le dé qui te permettra d'avancer ton pion à la case «Arrivée».

Départ	Avance de…	Arrivée
a) **7**	**?**	**10**
b) **21**	**?**	**24**
c) **17**	**?**	**19**
d) **10**	**?**	**15**
e) **6**	**?**	**12**
f) **19**	**?**	**20**

Les chiffres sont les symboles utilisés pour écrire les nombres. Ces chiffres n'ont pas toujours existé. Les Romains, il y a très longtemps, utilisaient I pour écrire 1, V pour 5 et X pour 10. Ainsi, 36 s'écrivait XXXVI.

Repère

Tu peux t'aider d'une grille de nombres pour trouver un nombre qui vient immédiatement avant ou immédiatement après un autre nombre.

0	1	2	3	4	5	6	7	8	9
10	11	12	13	14	15	16	17	18	19
20	21	22	23	24	25	26	27	28	29

Quels nombres as-tu appris à lire ou à reconnaître ? Explique ce que tu fais pour te rappeler le nombre qui vient avant ou après un autre nombre. Nomme des personnes que tu peux associer à différentes étapes de la vie.

2. Enquête sur la famille

Quelle est l'activité préférée de ta grand-mère ? de ton grand-père ?
À ton avis, quelle activité est la plus populaire chez les grands-parents des élèves de la classe ?

Pour apprendre à faire une enquête, interrogeons nos grands-parents sur leurs activités et apprenons à présenter et à analyser les résultats.

1. À l'aide du questionnaire qui te sera remis, interroge tes grands-parents pour connaître l'activité préférée de chacun.

2. Joins-toi à trois camarades. Notez sur un seul questionnaire le nombre de fois que chaque activité a été choisie.

3. Interrogez les autres équipes pour connaître le nombre de fois que chaque activité a été choisie. Notez ensuite les résultats sur une autre grille du questionnaire.

4. Préparez un diagramme pour présenter les données que vous avez recueillies.

5. Comparez votre diagramme avec celui des autres équipes.

Dis ce que tu as appris sur les activités préférées des grands-parents en utilisant les mots «plus», «moins» et «autant». Fais part des difficultés éprouvées au cours de l'enquête et des moyens utilisés pour les surmonter.

1. Observe les données du diagramme, puis réponds aux questions.

Les activités physiques préférées des grands-parents

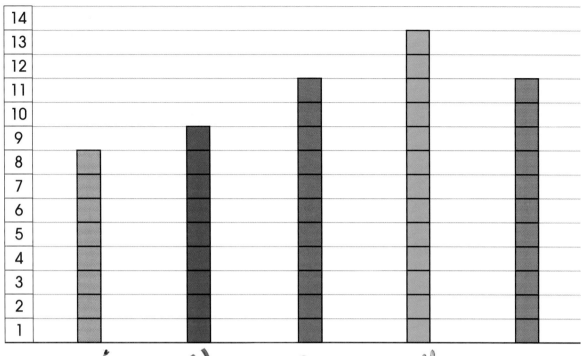

Vélo

Ski

Natation

Quilles

Marche

a) Combien de fois chaque activité a-t-elle été choisie?

b) Quelle activité a été choisie...

- **le plus** souvent?

- le **même** nombre de fois que la ?

- par 2 personnes **de plus** que la ?

- par 1 personne **de moins** que le ?

- par **moins de** 9 personnes?

Tous les jours, les journaux font état d'enquêtes et de sondages dont les résultats sont présentés sous forme de diagrammes à bandes, de diagrammes circulaires, etc. Il devient donc nécessaire de sensibiliser très tôt les enfants à ces représentations visuelles. Dès le premier cycle, on invite votre enfant à faire de petites enquêtes, à compiler les données et à les représenter. Il s'agit là d'une excellente occasion d'apprécier la contribution des mathématiques à la vie quotidienne.

Donne ta réponse en nommant la première lettre de l'activité: V, S, N, Q ou M.

2. Voici les résultats d'une enquête qui a été faite auprès de grands-parents pour connaître leur source d'information préférée.
Calcule le nombre de personnes qui ont choisi chaque média.

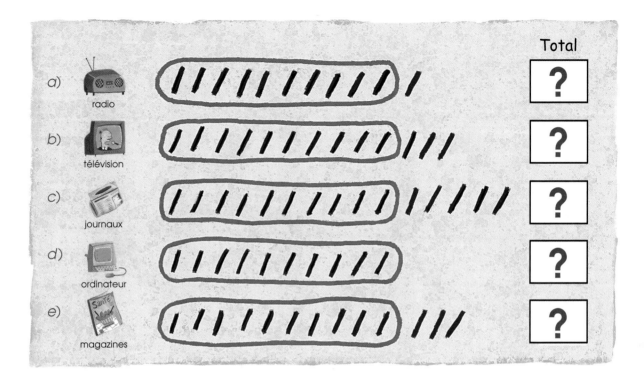

3. Le diagramme ci-dessous a été construit à partir des résultats obtenus au numéro 2.

a) Associe chaque média à la rangée correspondante.

Les médias préférés des grands-parents

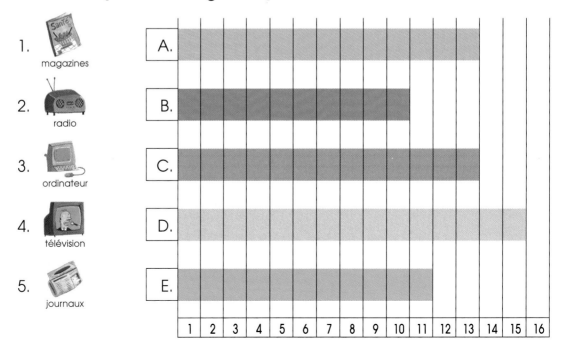

b) À l'aide des symboles **<**, **>** ou **=**, compare le nombre de personnes qui ont choisi chaque média.

Repère

Pour faire une enquête...

| Quel est votre animal préféré, le chat ou le chien ? | Choisis d'abord un sujet et prépare une question. Pose-la ensuite à plusieurs personnes. |

chat ///// → 5

chien //////// → 8

Note les réponses obtenues et les résultats.

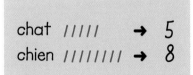

chat   chien

Prépare un diagramme pour présenter les données recueillies.

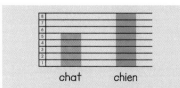

Les personnes interrogées aiment plus les chiens que les chats.

Présente les résultats de ton enquête à l'aide des mots «plus», «moins» et «autant».

Explique dans tes mots comment on fait une enquête.
Dis ce que tu as appris sur les activités des grands-parents.

3. Jacques et le haricot magique

Que devient le haricot dans cette histoire ? À ton avis, quelle était sa hauteur ? celle du géant ?

Pour mieux comprendre l'histoire de Jacques, imaginons de quelle grandeur sont certains objets du conte et mesurons-les avec le mètre.

1. Écoute le conte qu'on te lira, puis joins-toi à quelques camarades. Ensemble, montrez à l'aide de ficelles la longueur du haricot et du géant à certaines étapes de leur vie.

Le géant bébé

Le géant adulte

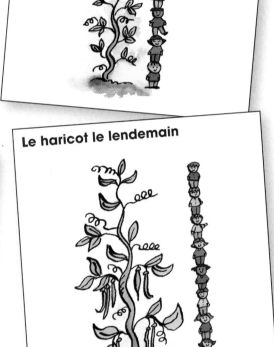

Le haricot après 2 heures

Le haricot le lendemain

6-3b

2. Utilisez un trombone, une chaussure ou un mètre pour estimer et vérifier la longueur des ficelles que vous avez coupées.

Notez vos résultats sur la grille qui vous sera remise.

Aspects à mesurer	J'estime	Je vérifie	Unité de mesure utilisée
	1 ⌷ mètre	1 ⌷ mètre / 2 ⌷	⌷ mètre / trombone / chaussure

Nomme d'autres objets du conte que tu mesurerais en utilisant un mètre, une chaussure, un trombone. Explique les raisons de chacun de tes choix. En quoi estimer est-il différent de mesurer ?

1. Qu'est-ce qui mesure environ un mètre ?

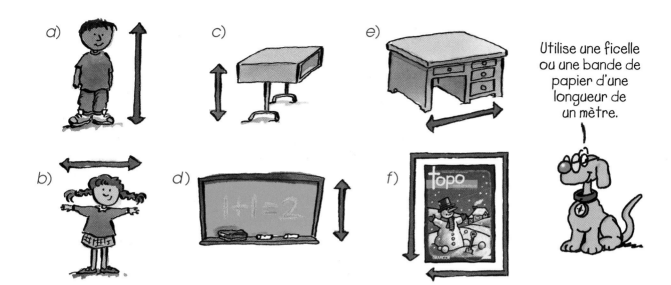

a)

c)

e)

Utilise une ficelle ou une bande de papier d'une longueur de un mètre.

b)

d)

f)

2. Trouve le nombre de fois que la longueur de ton pied est contenue dans un mètre.

 ? , c'est à peu près de la même longueur que un mètre.

3. Trouve les deux issues de secours les plus près de ta classe. Mesure en mètres la distance qui sépare ton pupitre de chaque issue.

Invitez votre enfant à trouver dans la maison des objets qui ont à peu près une longueur de un mètre. Cela lui permettra de se représenter encore plus facilement cette longueur.

4. Coupe une ficelle de la longueur suivante. Elle doit être plus longue que la hauteur de ton pupitre et plus courte que la longueur de un mètre.

Repère

Beaucoup d'enfants de 6 ans ont une hauteur d'environ un mètre.

Pour mesurer de grandes longueurs, on utilise souvent le mètre.

Nomme des élèves et des objets de la classe qui ont une longueur d'à peu près un mètre. Décris une situation où tu as vu une personne utiliser un mètre pour mesurer.

4. Les échanges au marché

Dans le conte *Jacques et le haricot magique*, que fait Jacques au marché ?
Quels produits sont illustrés dans cette page ? Quel est le prix de chacun ?
Qu'as-tu déjà fait en classe avec de la monnaie ?

Pour nous familiariser avec la consommation, faisons des échanges tout en apprenant à mieux comprendre l'écriture des nombres.

1. Joins-toi à un ou à une camarade. Notez sur la fiche qui vous sera remise une autre façon de payer ces aliments avec des ⬤ et des ⬤.

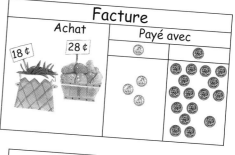

2. Observez la facture. Quels aliments ont été achetés ? Dessinez-les ou collez-les dans la première colonne en utilisant le matériel qui vous sera remis.

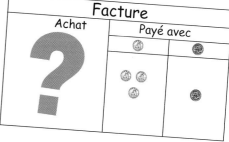

3. À votre tour ! Inventez deux problèmes : un semblable au numéro 1 et un semblable au numéro 2. Proposez-les ensuite à une autre équipe et faites-en la correction.

Comment avez-vous fait pour représenter un même montant d'argent de plus d'une façon ? pour trouver ce qui a été acheté ? Explique en quoi le fait de travailler avec un ou une camarade a facilité le travail.

1. Associe chaque illustration à la carte appropriée et au nombre correspondant. Observe l'exemple pour t'aider.

Exemple : illustration *a* associée aux cartes B et 3.

a)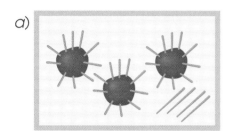

A.
5 dizaines
et 6 unités

1.
56

b)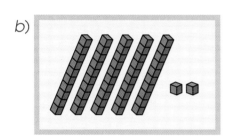

B.
3 dizaines
et 4 unités

2.
44

c)

C.
5 dizaines
et 2 unités

3.
34

d)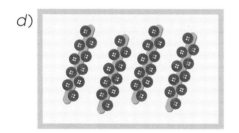

D.
4 dizaines
et 4 unités

4.
52

e)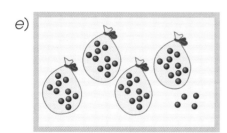

E.
4 dizaines
et 0 unité

5.
40

Une dizaine,
c'est un groupement
de dix objets.

2. Trouve le nombre d'unités qu'il faut ajouter pour compléter les dizaines. Observe l'exemple pour t'aider.

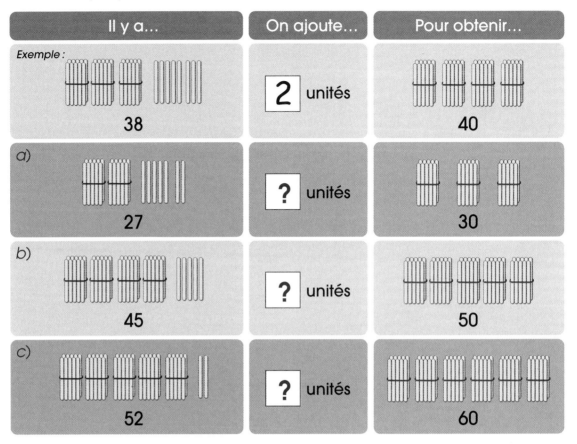

Il y a…	On ajoute…	Pour obtenir…
Exemple : 38	**2** unités	40
a) 27	**?** unités	30
b) 45	**?** unités	50
c) 52	**?** unités	60

Pour le moment, l'important n'est pas que votre enfant sache le nom de tous les nombres, mais plutôt qu'il ou elle comprenne graduellement les règles permettant de former des nombres à deux chiffres : le principe du groupement par dix et la valeur de position des chiffres dans l'écriture des nombres.

Repère

Pour dénombrer une grande quantité d'objets, on peut regrouper les objets par dix. On fait alors des **dizaines**.

Dans un nombre à deux chiffres, le chiffre de gauche indique les **dizaines** et celui de droite, les **unités**.

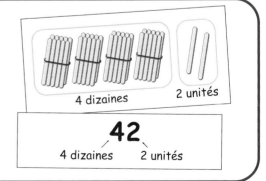

4 dizaines — 2 unités

42

4 dizaines — 2 unités

Lis les nombres écrits dans cette page. Dis lequel est le plus grand et explique comment tu fais pour le savoir. À ton avis, pourquoi est-il important de savoir lire et écrire des nombres pour acheter quelque chose ou encore pour jouer à un jeu avec des amis ?

C'est amusant

Un projet : **Décore la classe**

Comment pourrais-tu donner un air de fête à la classe pour Noël ?

Qu'est-ce que tu voudrais fabriquer ou préparer en relation avec Noël ?
De quel matériel auras-tu besoin pour réaliser ton projet ?

Présente ta production et participe à ton évaluation.

1. C'est quand Noël?

Quel événement aura lieu en décembre? Combien de jours y a-t-il avant Noël? Quand commenceront les vacances de Noël?

Pour apprendre à nous situer dans le temps et pour exploiter l'ordinateur, construisons une page de calendrier et apprenons à résoudre des problèmes où il est question de jours et de semaines.

1. Sur la feuille qu'on te remettra, note tout ce qui se passera au cours du mois de décembre. Consulte tes parents au besoin.

7-1a

Anniversaires

Décembre

Activités spéciales

Fêtes et congés

7-1b

2. Joins-toi à un ou à une camarade. Mettez en commun ce que vous avez trouvé. Préparez ensuite individuellement une page de calendrier.

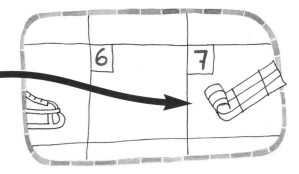

3. Quelles activités importantes arriveront au cours du mois de décembre à l'école et à la maison? Illustre-les au crayon, sans les colorier.

4. Dessine, sans la colorier, une petite décoration de Noël dans les cases où il n'y a pas d'activité spéciale.

5. Affiche ton calendrier dans un endroit bien visible. Colorie chaque jour le dessin qui se trouve dans la case correspondant à la journée. Ce sera une bonne façon de te préparer à Noël.

Explique comment tu as procédé pour trouver les renseignements dont tu as eu besoin pour remplir la page de calendrier. En quoi le fait de travailler à deux t'a-t-il facilité la tâche?

Observe ton calendrier, puis fais ce qui est demandé.

1. Nomme les dates qui correspondent aux jours donnés.

a) 2ᵉ mardi du mois

b) 4ᵉ mercredi du mois

c) 3ᵉ dimanche du mois

d) 1ᵉʳ jour du mois

Au début de chaque mois, encouragez votre enfant à noter ou à illustrer les événements importants de sa vie sur un calendrier. N'hésitez pas à l'interroger sur ce qui vient avant ou après une date en particulier. Rappelez-lui régulièrement de consulter ce calendrier.

2. Nomme les dates correspondant aux jours mentionnés.

a) Les lundis du mois de décembre

b) Les mercredis du mois de décembre

c) Les samedis du mois de décembre

d) Les dimanches du mois de décembre

Il y a très longtemps, les Égyptiens comptaient les jours en observant le lever du soleil. La disparition du dernier croissant de lune marquait le début d'un nouveau mois.

Repère

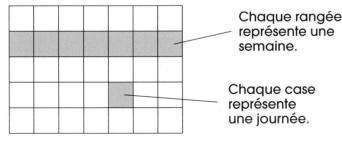

Chaque rangée représente une semaine.

Chaque case représente une journée.

Il y a toujours 7 jours dans une semaine et souvent 4 semaines complètes dans un mois. Le calendrier indique les jours, les mois et l'année.

Trouve les ressemblances qui existent entre les pages du calendrier. Donne des exemples de situations où il peut être utile d'utiliser un calendrier. Dis en quoi l'utilisation de l'ordinateur peut être utile pour construire un calendrier.

2. On décore

Comment décore-t-on chez toi pour souligner le temps des fêtes ?
Comment ta famille se procure-t-elle les décorations ?
Que peut-on faire pour avoir une idée du prix des achats à faire ?

Pour apprendre à résoudre des problèmes liés à la consommation, apprenons à trouver les solutions en faisant des essais.

1. Observe le prix de chacune des décorations. Laquelle est la moins chère ? la plus chère ?

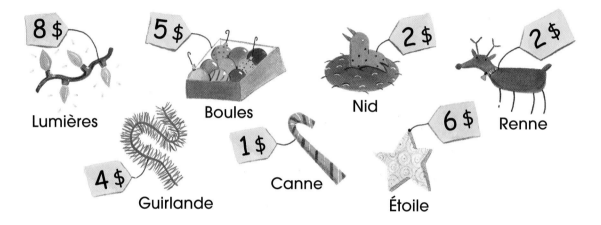

2. Observe les listes d'achats et trouve celle dont le coût total s'élève à moins de 10 $.

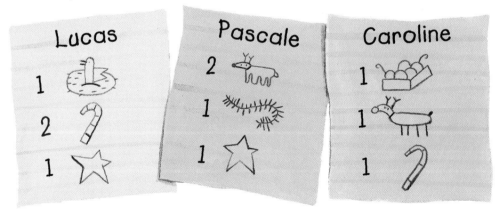

3. Prépare une liste d'achats dont le coût total s'élèvera à moins de 12 $. Trouve une façon de présenter tes résultats.

4. Joins-toi à un ou à une camarade et comparez vos listes d'achats.

Explique comment tu as fait pour préparer ta liste de décorations en respectant le montant indiqué. Dis pourquoi c'est utile de faire une liste avant de faire des achats.

1. Lis chaque situation. Trouve la solution et dessine-la sur une feuille. Utilise des jetons pour t'aider.

a) Benoît a fait 9 lutins. Il colorie 3 lutins en rouge.
Combien de lutins lui reste-t-il à colorier ?

b) Maxime a mis 7 lutins et 2 anges dans le sapin.
Combien de lutins y a-t-il de plus que d'anges dans le sapin ?

c) Pendant la cuisson, 3 anges en pâte de sel se sont brisés.
Combien d'anges en pâte de sel reste-t-il ?

d) Rachel a décoré 5 anges et 3 lutins. Son frère a décoré 4 anges.
Combien d'anges ont-ils décorés en tout ?

Lorsque vous faites des achats avec votre enfant, profitez-en pour l'amener à remarquer la manière dont les prix sont affichés au-dessus des étalages ou sur les étiquettes. Montrez-lui également le coupon d'achat ou la facture. Faites-lui constater ce qu'on peut obtenir avec 2 $, 5 $ ou 10 $, afin de l'aider à se familiariser avec la valeur de certains objets de consommation. Ce sera aussi une excellente façon de lui faire voir l'importance de savoir lire des nombres dans la vie de tous les jours.

2. Simon et Judy ont décidé d'offrir leurs services dans le voisinage pour se ramasser des sous.

Observe chaque facture et trouve ce qu'ils gagneront chaque jour. Note tes calculs sur une feuille.

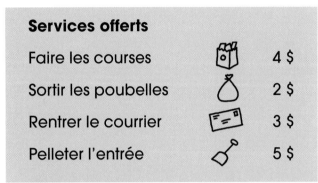

Services offerts

Faire les courses		4 $
Sortir les poubelles		2 $
Rentrer le courrier		3 $
Pelleter l'entrée		5 $

Avant l'invention de la monnaie, les gens payaient avec des objets de valeur comme des perles, des coquillages, des pierres précieuses, etc.

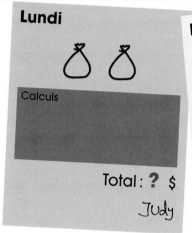

Lundi

Calculs

Total : **?** $

Judy

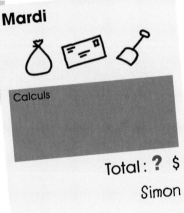

Mardi

Calculs

Total : **?** $

Simon

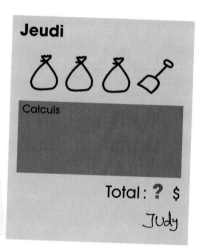

Jeudi

Calculs

Total : **?** $

Judy

3. Prépare trois factures qui respectent les montants indiqués. Note les symboles appropriés ainsi que tes calculs.

a) J'ai gagné moins de 10 $.

b) J'ai gagné plus de 10 $.

c) J'ai gagné 7 $.

Repère

- Pour **résoudre** un problème, tu peux faire des essais et les noter pour éviter de les refaire plusieurs fois.
- Pour **donner ta réponse**, tu peux illustrer ta démarche et dire ou noter ta solution.

Explique pourquoi il est parfois utile de faire plusieurs essais avant d'arriver à la réponse. Dis ce que tu peux faire pour préparer la fête de Noël sans dépenser plus que prévu.

3. Des bons vœux de Noël

Décris une façon de dire ou de montrer à une personne que tu l'apprécies.
Nomme les figures géométriques que tu reconnais dans cette page.
Explique, en donnant un exemple, ce que signifie «moitié».

Pour faire savoir à une personne de la classe que nous l'apprécions, fabriquons une carte tout en explorant les figures géométriques et les fractions.

1. Observe les formes qu'on te remet pour fabriquer une carte de Noël. Elles représentent la moitié d'une carte.

Associe chacune des formes de gauche à celle que tu obtiendras quand tu ouvriras la carte.

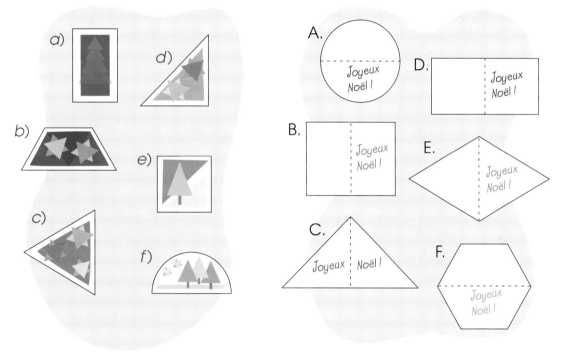

7-3a

2. Fabrique maintenant une carte pour quelqu'un de la classe. Choisis d'abord une forme de carte. Fais ensuite un collage à l'aide des triangles qui te seront remis, puis ajoute des couleurs.

7-3b

Décris une façon de représenter la moitié d'une figure géométrique.
Nomme les objets et les formes que tu as représentés avec des triangles.

1. Observe les illustrations. Indique avec ton doigt la moitié de chacune d'elles.

a)

e)

b)

f)

c)

g)

d)

h)

2. Quelles figures ont une moitié coloriée en rouge ?

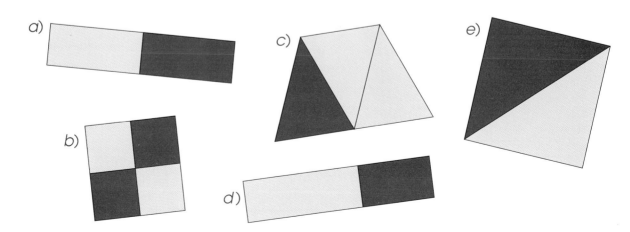

a)

b)

c)

d)

e)

3. Associe chacune des figures de départ à celles que tu peux obtenir si tu les plies en deux parties égales.

Figures de départ

a)

b)

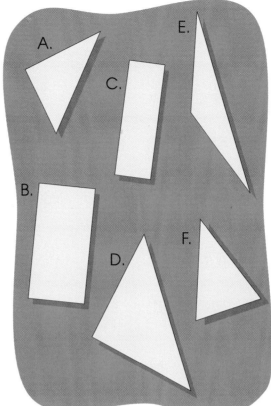

A.

C.

E.

B.

F.

D.

Fais des pliages pour t'aider.

L'étude des fractions donne à votre enfant l'occasion d'explorer un aspect du nombre. Profitez de plusieurs situations de la vie quotidienne pour amener votre enfant à nommer des fractions. Cela lui permettra de se familiariser avec celles-ci et de se les représenter de façon concrète. Vous pourriez discuter de collations à partager en parts égales, de recettes de cuisine comportant des mesures anglaises (ex. : tasses), etc.

Repère

Quand tu partages des objets en parts égales avec une autre personne, tu lui en donnes la moitié.

Explique comment tu as procédé pour associer les moitiés aux figures appropriées. Si tu avais cinq clémentines, décris ce que tu ferais pour en donner la moitié à un ou à une camarade. Nomme des gestes et des paroles qui montrent que l'on apprécie une personne.

4. Jouer pour comprendre

➤➤➤ Explique comment on joue à ces jeux, à ton avis.

Travaillons en équipe pour mettre nos compétences mathématiques à l'épreuve tout en nous amusant.

➤➤➤

Joins-toi à un ou à une camarade pour jouer aux jeux ci-dessous.

1. Quel est le montant ?

2. Des sculptures à construire

3. Un nombre à découvrir

Explique comment tu pourrais améliorer tes compétences à l'un de ces jeux.
Dis en quoi le fait de jouer avec un ou une camarade t'a permis de t'améliorer.

1. Associe chaque suite de gauche à celle de droite qui a le même patron.
Observe l'exemple pour t'aider.

Exemple : suite *a* associée à la suite C

a)
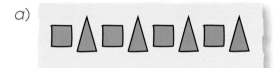

A.

b)

B.

c)

C.

d)

D.

e)
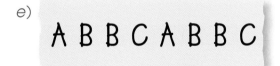

E.
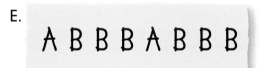

2. Lis les indices et trouve le nombre correspondant.
Observe l'exemple pour t'aider.

Exemple :   Il est plus grand que 25.

Il est plus petit que 38.

Il a un 6 à la position des unités.

Le nombre est 36.

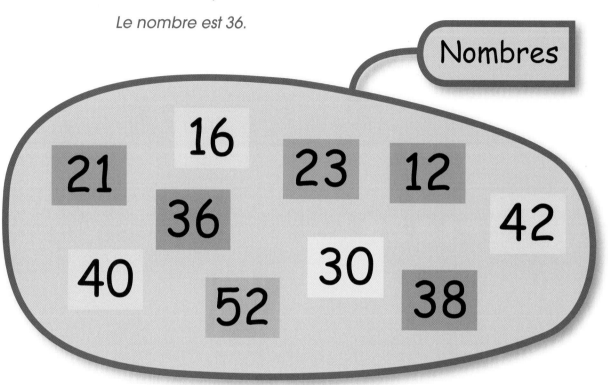

Nombres

16   21   23   12   36   42   40   52   30   38

a)   Il est plus grand que 35.

Il est plus petit que 45.

Il a un 0 à la position des unités.

....

b)   Il est plus grand que 30.

Il est plus petit que 50.

Il a un 2 à la position des unités.

....

c)   Il est plus grand que 13.

Il est plus petit que 23.

Il a un 2 à la position des dizaines.

Plusieurs des activités que votre enfant a faites dans la présente excursion sont simples et peuvent être aisément refaites à la maison avec du matériel courant. Invitez votre enfant à vous expliquer les règles de ces activités et à vous décrire la démarche à suivre pour résoudre les problèmes que vous effectuerez ensemble.

3. Observe l'illustration.

a) Montre l'enfant qui entrera dans l'autobus…

• en premier ;

• en cinquième.

b) Dis dans quel ordre les deux élèves suivants monteront dans l'autobus.

• L'enfant qui porte un chapeau rouge

• L'enfant qui a des béquilles

4. Place un jeton sur les figures dont la moitié est coloriée en vert.

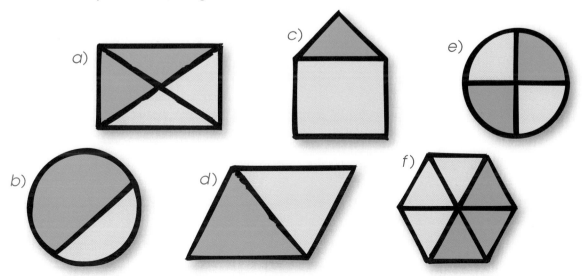

Repère

Lorsque tu es devant un problème, tu dois le comprendre, le résoudre et donner ta réponse.

> Léa a acheté 4 autocollants jaunes et 6 autocollants verts. Combien d'autocollants a-t-elle achetés en tout?

Pour le comprendre...

Tu lis le problème ou tu l'écoutes attentivement.	
Tu repères la question.	Combien d'autocollants a-t-elle achetés en tout?
Tu cherches les données essentielles.	4 autocollants jaunes 6 autocollants verts

Pour le résoudre...

Tu représentes la situation avec des dessins ou du matériel, ou encore tu la mimes.	
Tu estimes le résultat.	Je crois que ça fait 9 en tout.
Tu fais des essais.	Je vais les compter. 1, 2, 3...

Pour donner ta réponse...

Tu dis ou illustres ta démarche et tu notes ta solution.	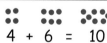 4 + 6 = 10
Tu compares ta solution avec ton estimation.	10 9 solution estimation
Tu discutes avec tes camarades pour comparer vos solutions.	
Tu rectifies ta solution, au besoin.	

Explique comment tu as procédé pour résoudre les problèmes.
Décris ce que tu as fait pour vérifier tes réponses.

Ça revient
1. Différentes combinaisons

Quelles touches connais-tu sur une calculatrice ? Que veulent dire les mots «total» et «somme» ? Quelle touche sur la calculatrice te permet de faire un total ? Si tu appuies sur le 5 de ta calculatrice, sur quelles autres touches devras-tu appuyer pour obtenir 12 ?

Pour apprendre à s'organiser de façon efficace, fabriquons des cartes de jeu tout en explorant avec la calculatrice différentes combinaisons d'un même nombre.

1. Observe les cartes illustrées. Que peux-tu dire de leur forme ? Quels nombres pourraient remplacer les **?** sur chacune d'elles ?

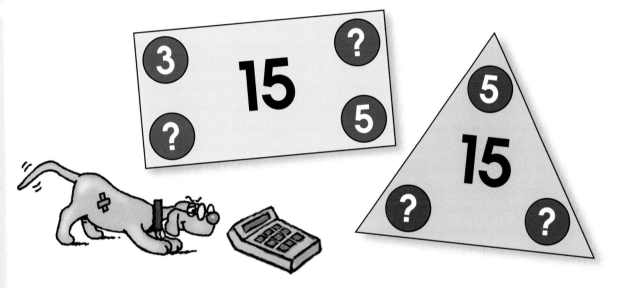

2. Joins-toi à un ou à une camarade pour fabriquer des cartes-mystères.

Démarche

- Choisissez un nombre entre 12 et 25 et notez-le au centre de la carte.

- À l'aide de la calculatrice, trouvez trois ou quatre nombres dont le total est le nombre choisi.

- Construisez votre carte-réponse en notant ces nombres dans les coins de votre carte.

- Construisez votre carte-mystère en notant sur une carte un ou deux de ces nombres et en remplaçant les autres par un **?**.

8-1a

3. Proposez votre carte à une autre équipe qui devra trouver les nombres manquants à l'aide de la calculatrice.

Dis comment tu as fait pour fabriquer tes cartes-mystères. Explique comment tu as utilisé ta calculatrice pour trouver les termes manquants sur les cartes-mystères. Quel avantage y a-t-il à utiliser une calculatrice pour faire ce genre d'activité ?

1. À l'aide de ta calculatrice, choisis parmi les nombres qui te sont donnés ceux qui permettent d'obtenir la somme indiquée. Complète ensuite l'expression mathématique.

a)

5   3   7   6   1

Expression mathématique

13 = 2 + **?** + **?** + **?**

b)

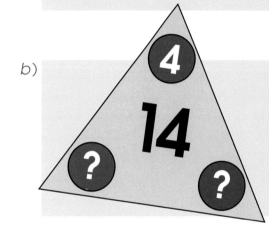

8   6   2   4

Expression mathématique

14 = 4 + **?** + **?**

c)

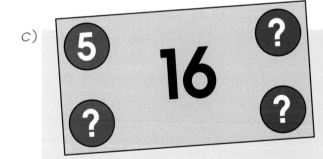

5   6   4   2

Expression mathématique

16 = 5 + **?** + **?** + **?**

Lorsque vous jouez aux cartes ou à un jeu de mémoire avec votre enfant, profitez de l'occasion pour lui faire remarquer qu'en mathématique, comme dans la vie de tous les jours, il est normal de faire plusieurs essais pour arriver à ses fins. Faites-lui comprendre que résoudre des problèmes nécessite de la réflexion et qu'on ne trouve pas nécessairement la solution du premier coup.

2. Lis chaque situation et trouve la solution. Fais un dessin pour t'aider.

vélo   auto   monocycle   tricycle

a) Boussole a compté 10 roues en tout.
   Combien cela fait-il de tricycles et de vélos ?

   Il y a ?   et ? .

b) Boussole a compté 8 roues en tout.
   Combien cela fait-il d'autos et de vélos ?

   Il y a ?   et ? .

c) Boussole a compté 7 roues en tout.
   Combien cela fait-il de monocycles et de tricycles ?

   Il y a ?   et ? .

d) Boussole a compté 9 roues en tout.
   Qu'est-ce qu'il a vu ?

   Il a vu ? , ? , ?   et ? .

Repère

Le résultat d'une addition
s'appelle «somme» ou «total».

Tu peux utiliser la calculatrice...

- pour vérifier rapidement la
  somme de plusieurs nombres ;

- pour faire des essais et
  les vérifier.

$$5 + 7 = 12$$

termes   somme
                ou
                total

Que fais-tu pour bien comprendre un problème ?
Décris des situations de la vie de tous les jours où la calculatrice peut être utile.

2. Faire des essais

Qu'est-ce qui fait qu'on glisse loin lorsqu'on fait de la luge ?

Pour mieux comprendre certains phénomènes, expérimentons le parcours d'une voiture-jouet sur différentes pentes et utilisons la mesure pour les comparer.

1. Observe les trois montages. Avec quel montage la voiture-jouet ira-t-elle le plus loin ? Selon toi, quelle distance la voiture pourra-t-elle parcourir dans chaque cas ?

8-2a

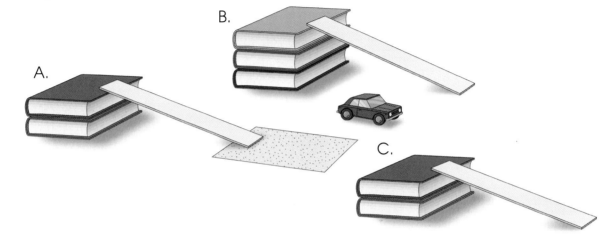

8-2a

2. Avec des camarades, préparez des montages semblables et faites deux essais avec chacun.

À l'aide du matériel qui vous sera remis, mesurez la distance parcourue par la voiture-jouet à chacun des essais. Notez vos observations.

		Nous vérifions...		
Montage A	Essai 1	_____ mètre(s)	_____ réglette(s) orange	_____ cube(s)
	Essai 2	_____ mètre(s)	_____ réglette(s) orange	_____ cube(s)
tage B	Essai 1	_____ mètre(s)	_____ réglette(s) orange	_____ cube(s)

8-2b

3. Modifiez un des montages et mesurez de nouveau la distance parcourue.

4. Présentez vos résultats à la classe.

Explique ce que tu as appris au cours de cette expérience.
Quel lien fais-tu entre la hauteur de la pente et la distance parcourue ?
entre le type de surface sur laquelle la voiture roule et la distance parcourue ?
Dis pourquoi il est utile de faire plusieurs essais et de noter les résultats.

1. Estime en mètres les longueurs indiquées.

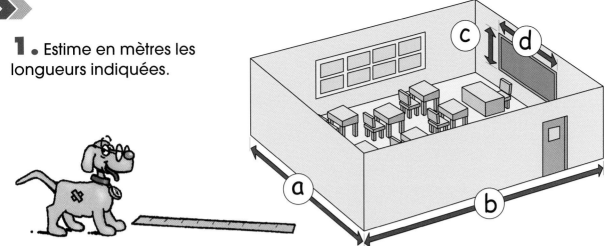

2. Combien de réglettes orange faut-il pour obtenir une longueur de un mètre?

Pour t'aider à le savoir, indique la longueur de chaque réglette orange sur une bande de papier de un mètre. Tu obtiendras ainsi un mètre gradué en décimètres.

Le mètre est utilisé presque partout dans le monde comme unité de mesure de longueur, mais cela n'a pas toujours été ainsi. Au Québec, il y a plus d'une vingtaine d'années, on utilisait le «pied» comme unité de mesure.
Pour te donner une idée, trois pieds, c'est presque de la même longueur que un mètre.

Au moment des activités de mesure, assurez-vous que votre enfant fait d'abord des estimations avant d'effectuer les mesures. Suggérez-lui une activité amusante en lui demandant, par exemple, de mesurer un membre de sa famille pour ensuite comparer les résultats avec sa propre taille.

3. Joins-toi à un ou à une camarade. Vérifiez à l'aide de vos mètres gradués les estimations faites au numéro 1.

Repère

Des phénomènes et des expériences...

Des expériences permettent parfois de répondre à des questions qu'on se pose sur certains phénomènes.

Exemple: qu'est-ce qui fait qu'on glisse plus ou moins loin sur une pente?

Des unités de mesure pratiques...

Pour faciliter la communication et comparer les résultats, on utilise les mêmes unités de mesure presque partout dans le monde.

Crois-tu que toutes les classes de l'école ont les mêmes dimensions? Explique ce que tu pourrais faire pour le vérifier. Qu'as-tu appris à partir des expériences que tu viens de faire?

3. À tour de rôle

Nomme des jeux qui consistent à gagner le plus de points possible. D'après toi, comment le jeu illustré sur cette page a-t-il été fabriqué ? Quel matériel serait nécessaire pour en fabriquer un semblable ?

Pour apprendre à construire un jeu, observons un modèle et explorons des façons de représenter des nombres.

1. Observe le jeu illustré. Nomme les étapes que tu suivrais pour fabriquer un jeu semblable.

2. Dans quels contenants dois-tu réussir à lancer des jetons pour obtenir un total de 25 points ? Trouve trois façons différentes d'obtenir ce total.

3. Joins-toi à trois camarades. Fabriquez à votre tour un jeu semblable en vous inspirant du modèle illustré.

4. Jouez et notez vos résultats sur une carte de pointage.

Chaque personne a 10 jetons. Celui ou celle qui obtient le plus grand nombre de points gagne la partie.

	Points			
	10	5	1	**Total**

Explique les étapes que vous avez suivies pour fabriquer votre jeu.
Quels moyens as-tu utilisés pour représenter le nombre 25 de différentes façons ?
Dis comment tu as fait pour calculer le total des points obtenus.

8.3

8-3a

1. Calcule le total des points des joueurs. Dis le nom du gagnant ou de la gagnante.

a)

	Points			
	10	5	1	Total
Ève	●●		●●	?
Rémi		●●	●●	?

b)

	Points			
	10	5	1	Total
Amélie	●		●●●	?
Marco	●●●	●		?

c)

	Points			
	10	5	1	Total
Simon			●●●●●●●●●	?
Mira	●●●	●●	●●●●●	?

2. Sur la feuille qu'on te remet, dessine cinq jetons pour obtenir le total de points indiqué.

8-3a

a)

	Points			
	10	5	1	Total
Catherine	▬	▬	▬	35
Julie	▬	▬	▬	26

b)

	Points			
	10	5	1	Total
Benoît	▬	▬	▬	40
Boris	▬	▬	▬	32

Tous les enfants ne progressent pas au même rythme. Si votre enfant éprouve certaines difficultés en mathématique, posez-lui des questions sur sa façon de procéder, proposez-lui de consulter son carnet « Mes repères » ou son manuel pour trouver des modèles de ce qu'il faut faire ou pour préciser la définition d'un terme.

C'est important pour votre enfant de savoir que vous respectez ce qui se fait à l'école, car les jeunes enfants ont de la difficulté à vivre les différences d'opinions entre l'école et la maison.

3. Observe les façons dont les joueurs ont représenté leurs résultats.
Dans quel cas y a-t-il des erreurs ?

a)

Points obtenus

42

$10 + 10 + 10 + 10 + 1 + 1 = 42$

5 dizaines et 2 unités = 42

$10 + 10 + 10 + 5 + 5 + 1 + 1 = 42$

b)

Points obtenus

27

$10 + 10 + 5 + 1 + 1 = 27$

$5 + 5 + 5 + 5 + 1 + 1 = 27$

2 dizaines et 7 unités = 27

c)

Points obtenus

53

5 dizaines et 3 unités = 53

$10 + 10 + 10 + 10 + 5 + 5 + 3 = 53$

$10 + 10 + 10 + 10 + 10 + 3 = 53$

d)

Points obtenus

36

$10 + 10 + 5 + 5 + 5 + 1 = 36$

3 dizaines et 6 unités = 36

$10 + 10 + 1 + 1 + 1 + 1 + 1 + 1 = 36$

Chez les Mayas, il y a très longtemps, les nombres étaient représentés par des points et des traits.

4	5	6	7	8
....	—	.	..	...
		—	—	—

4. Choisis deux nombres. Complète ensuite les phrases et propose
tes deux devinettes à un ou à une camarade.

40   38   35   13   26   19

a)

Devinette

Ce nombre est plus petit que…

Il est formé de … dizaines et de … unités.

Quel est ce nombre ?

b)

Devinette

Dans ce nombre, il y a un … à la position des dizaines.

Ce nombre vient immédiatement avant…

Quel est ce nombre ?

Repère

On peut représenter un nombre de différentes façons.

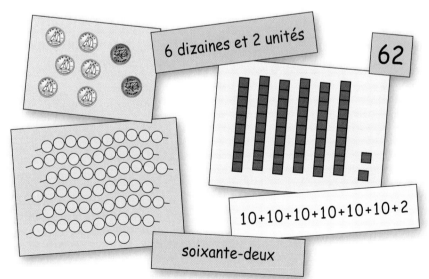

 6 dizaines et 2 unités

62

10+10+10+10+10+10+2

soixante-deux

Explique ta façon préférée de représenter un nombre.
Dis en quoi la mathématique est utile pour jouer à certains jeux.

Ça fonctionne

Un projet : **Fabrique un objet**

Quel objet utile ou amusant pourrais-tu fabriquer ?

Que pourrais-tu faire comme décoration sur un bureau ? dans une chambre ? Quel instrument pourrais-tu fabriquer pour mesurer des longueurs ? pour mesurer ou indiquer le temps qui passe ? Quels moyens pourrais-tu utiliser pour trouver l'information dont tu as besoin ?

Présente ta production et participe à ton évaluation.

1. Toute une journée !

D'après toi, est-ce que les heures avancent plus vite quand tu dors ?
quand tu t'amuses ? Comment les gens savaient-ils l'heure quand il n'y avait
ni horloge ni montre ? Et toi, comment sais-tu l'heure qu'il est ?

**Pour mieux comprendre la mesure du temps, notons ce que nous faisons à
certains moments de la journée et apprenons à lire l'heure.**

1. *a)* Fabrique une horloge à l'aide
du matériel qu'on te remet.

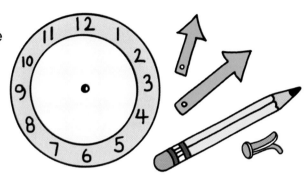

 9-1a

9.1

b) Écoute le conte qu'on te lira. Sur l'horloge que tu as fabriquée,
montre l'heure à laquelle chaque événement survient.

2. *a)* Sur un carré de papier,
note l'heure qui t'est
attribuée. À ce moment
de la journée, dessine
ce que les élèves de
ta classe font.

À 10 heures et demie,
nous étions à la récréation.

À 12 h, nous
mangions.

b) Repère au tableau l'heure qui t'a été attribuée et places-y ton dessin.

Où sont placées les deux aiguilles à 11 heures ? à midi ? Quel est le parcours de
chacune de ces aiguilles entre ces deux moments ? Pendant combien d'heures
dors-tu dans une journée ? Combien d'heures passes-tu à l'école ?

1. Observe la hauteur du soleil par rapport à l'horizon.

a) Associe l'illustration au moment de la journée qui convient.

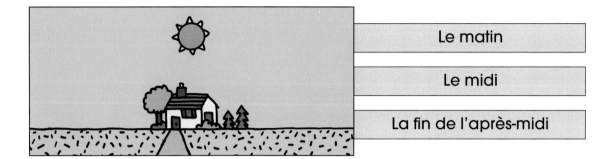

Le matin

Le midi

La fin de l'après-midi

b) Quelle est la hauteur du soleil par rapport à l'horizon…

- le matin ?

- en fin d'après-midi ?

2. Observe la longueur de ton ombre.

a) Il est midi. Quelle illustration représente la longueur de ton ombre à ce moment de la journée ?

A.

B.

b) À quel moment de la journée correspond l'autre illustration ?

Le matin

Le midi

La fin de l'après-midi

Le temps est un concept difficile pour les enfants. Une durée peut sembler plus ou moins longue selon l'occupation. Pour aider votre enfant à se situer dans sa journée et à apprendre comment lire l'heure, mentionnez souvent l'heure qu'il est et indiquez-lui des moments de la journée qui peuvent servir de repères. Prenez soin de lui préciser l'heure de ces moments en lui montrant, sur une horloge ou une montre, où se situent les aiguilles, ou encore en lui lisant les chiffres qui apparaissent sur certains appareils ménagers.

Selon la longueur de mon ombre, je sais de façon assez précise quelle heure il est.

3. Résous chaque problème en t'aidant de l'horloge que tu as fabriquée.

a) Chez Marc, on prend le repas du midi à 12 heures et celui du soir à 18 heures.

Combien d'heures y a-t-il entre les deux repas ?

b) Le père de Marc a besoin de deux heures pour préparer le repas du soir.

À quelle heure doit-il commencer au plus tard à cuisiner s'il veut que le repas soit prêt à 18 heures ?

Lorsque les êtres humains ont commencé à faire des horloges fiables, ils en ont installé sur les murs de certains édifices importants. Ainsi, même si les montres n'existaient pas, les habitants d'une ville pouvaient quand même savoir l'heure.

4. Associe chaque heure de gauche à l'horloge qui affiche la même heure.

a)

A.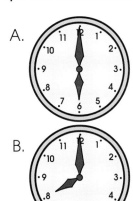

b)

B.

c)

C.

d)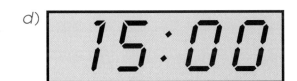

D.

5. Quelle heure sera-t-il dans une demi-heure ? Utilise l'horloge que tu as fabriquée pour t'aider.

Exemple :

Il sera 2 heures.

b)

Il sera ? heures.

a)

Il sera ? heures.

c)

Il sera ? heures.

On ne peut pas le voir. On ne peut pas le toucher. On ne peut pas le sentir. Mais il est toujours là. Qu'est-ce que c'est ?

Repère

Les années, les mois, les semaines, les jours et les heures sont des unités qui servent à mesurer le temps.

Que peux-tu dire des expressions suivantes : la moitié d'une heure, une demi-heure, trente minutes ? Sur une horloge, y a-t-il une aiguille qui tourne plus vite que l'autre ? Laquelle ? Pourquoi ? Qu'est-ce que cela changerait dans la vie des gens s'il n'y avait plus d'horloges, ni de montres ni de réveils ?

2. La machine à calculer

Quels moyens utilises-tu pour faciliter tes calculs ? Dans quelles situations les utilises-tu ? À ton avis, comment fonctionne la machine à calculer illustrée plus bas ?

Pour apprendre à tirer parti de l'information et de nos connaissances, découvrons le fonctionnement d'une machine afin de l'utiliser pour faciliter nos calculs.

1. Observe la machine à calculer illustrée, puis construis-en une semblable. Explique ensuite son fonctionnement.

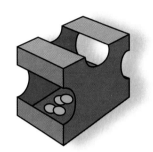

- Que signifient les flèches ?
- Dans quel sens faut-il regarder les données ?
- Que signifient les **?**, à ton avis ?

9.2

9-2a

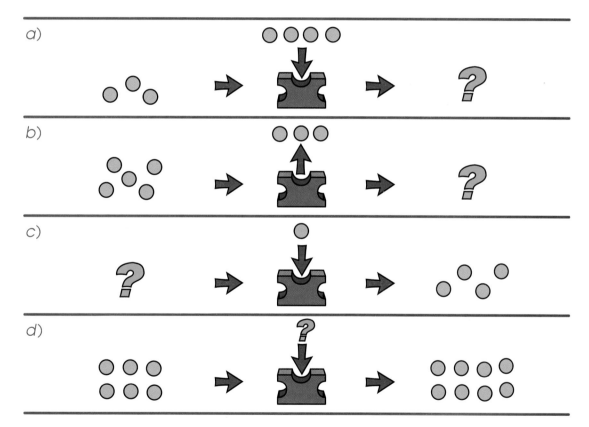

a)

b)

c)

d)

2. Utilise ta machine à calculer pour trouver le nombre correspondant à chaque **?**. Note l'expression mathématique qui décrit ce que tu as fait.

3. Joins-toi à deux camarades. Préparez des expressions mathématiques à compléter. Demandez ensuite à une autre équipe de trouver les termes manquants à l'aide de la machine à calculer.

Raconte à ta manière les situations illustrées. Explique en quoi les illustrations t'ont été utiles pour fabriquer une machine à calculer et pour en comprendre le fonctionnement.

1. Observe chaque illustration, puis complète l'expression mathématique. Utilise ta machine à calculer pour trouver la solution.

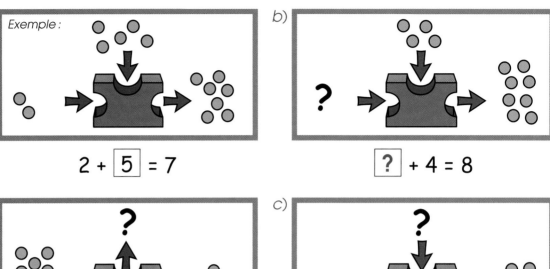

Exemple :

$2 + \boxed{5} = 7$

b)

$\boxed{?} + 4 = 8$

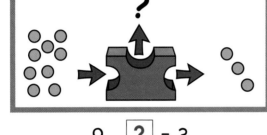

a)

$9 - \boxed{?} = 3$

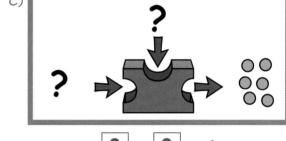

c)

$\boxed{?} + \boxed{?} = 6$

2. Prends connaissance de chaque situation et utilise ta machine à calculer pour trouver la solution. Fais un dessin pour t'aider.

a) Il y a 10 🦪 dans la boîte.
On enlève des 🦪 de la boîte.
Il reste maintenant 6 🦪 dans la boîte.
Combien de 🦪 a-t-on enlevés
de la boîte ?

b) Il y a déjà des ✏ dans la boîte de Hugo.
Hugo ajoute 2 ✏ dans sa boîte.
Il y a maintenant 11 ✏ dans la boîte.
Combien de ✏ y avait-il dans
la boîte de Hugo au départ ?

c) Joanie avait 12 ✏ dans sa boîte.
Elle a donné 3 ✏ à Kali.
Combien de ✏ lui reste-t-il ?

Proposez à votre enfant d'écrire sur des petites cartes deux séries des nombres de 0 à 9 ainsi que les symboles +, − et =. Demandez-lui d'écrire des expressions mathématiques à l'aide de ces cartes. Suggérez-lui ensuite d'utiliser sa machine à calculer pour effectuer l'opération mathématique et, si le cœur lui en dit, de raconter une situation correspondant à l'opération mathématique énoncée.

3. Résous les situations problèmes en t'aidant de ta machine à calculer.

a)

Combien de pièces d'or ont disparu du coffre ?

b)

Combien de pièces d'or y avait-il ce matin dans le coffre ?

c)

Combien de pièces d'or ont disparu du coffre ?

Repère

Tu peux représenter certains problèmes à l'aide d'une expression mathématique.

Tu peux utiliser ta machine à calculer pour les résoudre.

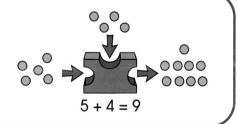

$5 + 4 = 9$

Explique comment tu as fait pour résoudre les problèmes à l'aide de ta machine à calculer. Décris les situations où ta machine à calculer t'est très utile.
Quels moyens sont utilisés de nos jours pour faciliter les calculs ?

3. Le partage

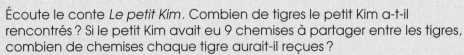

Écoute le conte *Le petit Kim*. Combien de tigres le petit Kim a-t-il rencontrés ? Si le petit Kim avait eu 9 chemises à partager entre les tigres, combien de chemises chaque tigre aurait-il reçues ?

Pour apprendre à communiquer de façon claire, explorons des façons de partager une quantité en s'inspirant d'un conte et décrivons notre démarche.

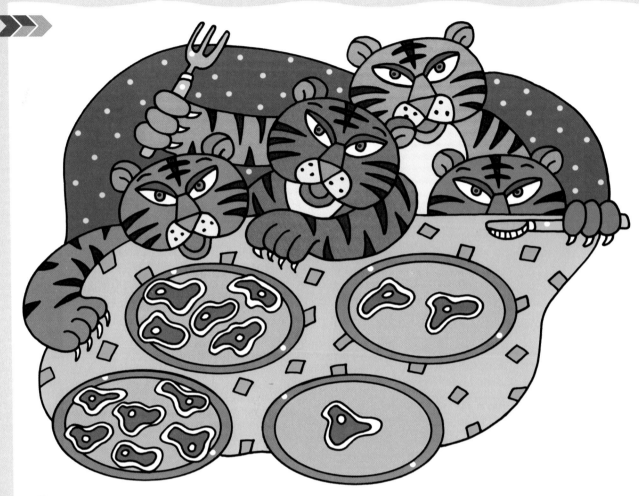

1. Kim veut préparer des assiettes pour nourrir les 4 tigres.

- Avec un ou une camarade, trouve une façon de répartir également les côtelettes.
- Comparez vos résultats et vos façons de procéder avec ceux d' une autre équipe.

2. Préparez de nouvelles portions pour les tigres.

Démarche

- Prenez de 8 à 20 jetons pour représenter les côtelettes.
- Choisissez le nombre de tigres à nourrir et prenez une assiette pour chacun.
- Partagez vos côtelettes en portions égales.
- Présentez vos résultats à une autre équipe.

Comment les autres équipes ont-elles réagi à la présentation de votre démarche et de vos résultats ? Quels moyens ont été utilisés pour décrire la façon de partager les côtelettes ?

1. Jasmine et Éloi ont voulu répartir également 18 biscuits dans des assiettes. Observe leur travail et place un jeton sur les cases où le partage n'a pas été fait correctement.

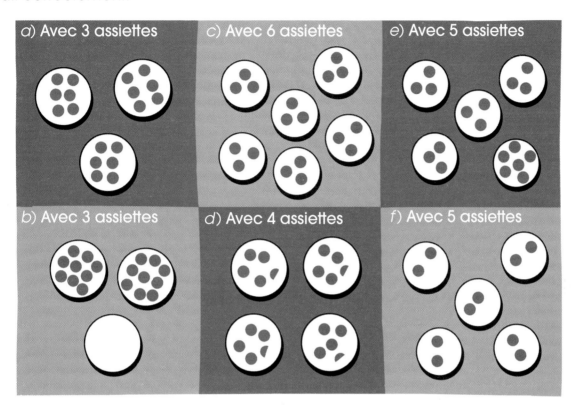

a) Avec 3 assiettes

c) Avec 6 assiettes

e) Avec 5 assiettes

b) Avec 3 assiettes

d) Avec 4 assiettes

f) Avec 5 assiettes

2. Voici d'autres feuilles de travail destinées à des élèves à qui on a demandé de partager également des objets. Trouve ce qui manque.

a)
- On avait 10 jetons et **?** assiettes.
- On a mis 5 jetons dans chaque assiette.

b)
- On avait **?** jetons et 3 assiettes.
- On a mis 3 jetons dans chaque assiette.

c)
- On avait 8 jetons et 4 assiettes.
- On a mis **?** jetons dans chaque assiette.

3. Combien de paires de chaussettes peux-tu former ?

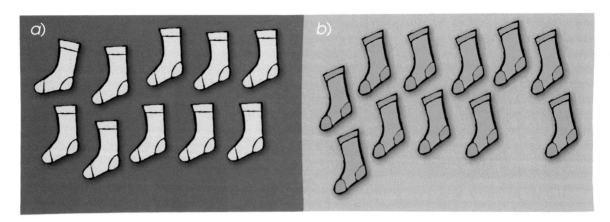

a)

b)

4. Dessine sur une feuille une quantité de chaussettes avec laquelle tu peux former des paires. Présente tes résultats à un ou à une camarade.

> J'ai dessiné … chaussettes.   J'ai formé … paires.

5. Illustre chaque situation et trouve la solution.

a) Papa prend 3 œufs pour faire une omelette.
Combien d'omelettes papa peut-il faire avec une douzaine d'œufs ?

b) Maman a utilisé une douzaine d'œufs pour faire 2 gâteaux des anges.
Combien d'œufs a-t-elle pris pour préparer chaque gâteau ?

c) René a besoin de 4 œufs pour faire une mousse aux fraises. Si René a une douzaine d'œufs, aura-t-il assez d'œufs pour préparer 5 mousses aux fraises? Explique ta réponse à un ou à une camarade.

d) Félicia a pris la moitié d'une douzaine d'œufs pour préparer des boissons au lait de coco. Combien d'œufs a-t-elle utilisés?

Qu'est-ce que tu connais qui se retrouve par paire dans ton entourage?

Repère

Pour savoir si un nombre d'objets est...

- **pair** : tu peux grouper les objets par deux et tu ne dois pas avoir de reste ;

- **impair** : tu peux grouper les objets par deux, et il doit t'en rester un.

Pour communiquer ta façon de procéder et tes résultats...

- tu laisses les traces de tes essais en les biffant lorsqu'ils ne permettent pas de résoudre le problème ;

- tu numérotes tes étapes de travail et tu suis ces étapes pour raconter comment tu as procédé ;

- tu t'exprimes en utilisant des mots précis qui ont un sens mathématique.

Si je partage également 12 jetons en 3, je mets 4 jetons dans chaque assiette.

Dis en quoi c'est utile de présenter clairement ses résultats. Qu'est-ce que tu mettras en pratique de façon particulière la prochaine fois que tu auras à communiquer ta démarche et tes résultats aux autres élèves de la classe?

Ça se ressemble

Un projet : **Constitue une collection**

Que pourrais-tu faire pour te constituer une collection originale ?

De quels objets ta collection pourrait-elle être constituée ?

En quoi les objets de ta collection se ressemblent-ils (utilité, matériau, forme, etc.) ?

Comment t'y prendras-tu pour présenter ta collection à tes camarades de classe et pour leur montrer son originalité ?

Présente ta production et participe à ton évaluation.

1. Des constructions variées

Selon toi, par quoi commence-t-on quand on construit une maison ?
Qu'y a-t-il entre les murs intérieurs et les murs extérieurs ?
Quels métiers sont reliés à la construction de bâtiments ?

**Réalisons un projet de construction étape par étape tout en
étudiant des caractéristiques des solides.**

1. Observe la construction.
À quoi ressemble-t-elle ?
Quels matériaux a-t-on utilisés
et en quelle quantité ?
Comment a-t-on procédé
pour la faire, selon toi ?

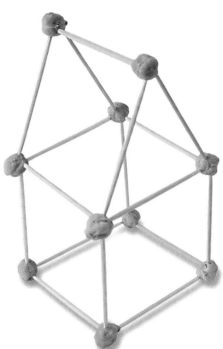

2. À ton tour maintenant !
Fais ta maison et note sur la
feuille qui te sera remise la
quantité de chacun des
matériaux que tu utilises.

Nombre de pois chiches	Nombre de cure-dents	Nombre de figures à 4 côtés	Nombre de figures à 3 côtés	Autres figures (nombre)
Dessin de ma construction				

10-1a

3. Présente à tes camarades ta construction et la fiche que tu as remplie.

4. Disposez vos maisons pour faire un village.

Nomme, en ordre, les différentes étapes que tu as suivies pour faire ta
construction. À quels solides peux-tu associer chaque construction ?
Dis quels autres édifices il faudrait construire pour que le village soit complet.

1. Associe chaque construction à la description qui convient.

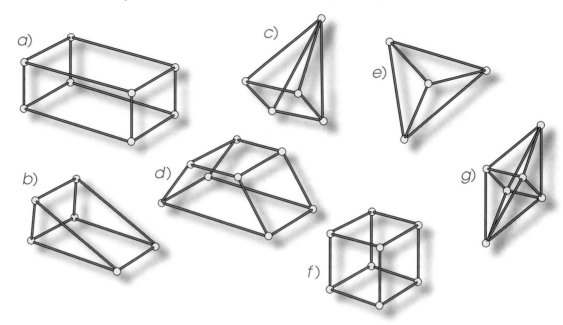

	Description	
	Nombre de pois chiches	Nombre de bâtonnets
A.	4	6
B.	5	8
C.	6	9
D.	6	12
E.	8	12

Invitez votre enfant à faire des bricolages avec du matériel simple comme des cure-dents, des bâtonnets de bois que l'on utilise pour les brochettes et de la pâte à modeler ou des pois chiches qui ont trempé quelques heures dans l'eau. Proposez-lui de représenter les objets de son environnement et d'inventer des formes. C'est un excellent moyen d'explorer les figures à trois dimensions.

Quand on construit une maison, on commence par creuser afin de faire les fondations. Ensuite, on fait la charpente, puis le toit.

La charpente me fait penser aux cure-dents de nos constructions.

2. Si on couvre les faces des solides du numéro 1 avec des figures de papier...

  a) quels solides seront couverts uniquement avec des figures à 3 côtés?

  b) quels solides seront couverts uniquement avec des figures à 4 côtés?

  c) quels solides seront couverts avec des figures à 3 côtés et à 4 côtés?

3. Combien de pois chiches te faudrait-il pour faire les constructions demandées?

a)

1 solide comme	2 solides comme	3 solides comme	4 solides comme	5 solides comme

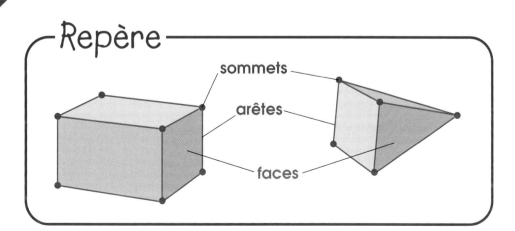

b)

1 solide comme	2 solides comme	3 solides comme	4 solides comme	5 solides comme

Tu découvriras une suite de nombres.

Repère

sommets

arêtes

faces

Dis ce que tu as appris sur les solides et sur la façon d'en construire.
Explique en quoi la charpente d'une maison ressemble à tes constructions.

2. C'est presque pareil

Comment fais-tu pour savoir s'il y a beaucoup ou peu de céréales dans une boîte avant de te servir ? Que peux-tu faire pour estimer rapidement une quantité d'objets ? Nomme des situations où tu as déjà fait des estimations en classe.

Utilisons des ressources autour de nous pour estimer des quantités et comparons avec les autres nos façons de faire.

1. Observe les verres.

a) À ton avis, lequel contient le plus grand nombre d'objets ? Dans quel verre y a-t-il plus de 50 objets ?

b) Joins-toi à un ou à une camarade. Ensemble, écrivez vos estimations sur une feuille. Comptez ensuite les objets dans chaque verre qui vous sera remis, puis notez la quantité obtenue.

2. Remplissez de trois façons différentes un contenant avec un objet de votre choix.

a) Estimez chaque fois la quantité d'objets, puis vérifiez vos estimations.

Dessin	Nous estimons	Nous vérifions
	45	

b) Présentez vos résultats à une autre équipe et comparez vos façons de faire.

Explique en quoi le fait de faire plusieurs estimations avec un même type d'objets peut t'aider à te faire une meilleure idée d'une quantité.

1. Réponds aux questions en faisant d'abord une estimation, puis vérifie tes réponses.

a) Combien de pailles faudrait-il pour remplir le verre ?

Tu estimes

plus de 50

moins de 50

Tu vérifies

plus de 50

moins de 50

b) Combien de bâtonnets faudrait-il pour couvrir la page ?

Tu estimes

plus de 50

moins de 50

Tu vérifies

plus de 50

moins de 50

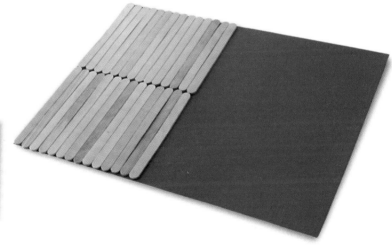

c) Combien de jetons faudrait-il ajouter pour couvrir la page ?

Tu estimes

plus de 50

moins de 50

Tu vérifies

plus de 50

moins de 50

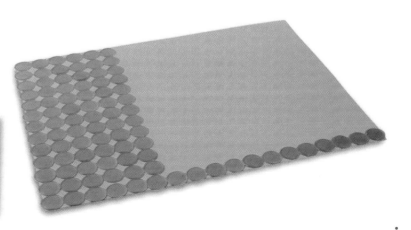

cent neuf

2. Calcule le nombre d'éléments de chaque ensemble d'objets et compare-les à l'aide des symboles **<**, **>** ou **=**.

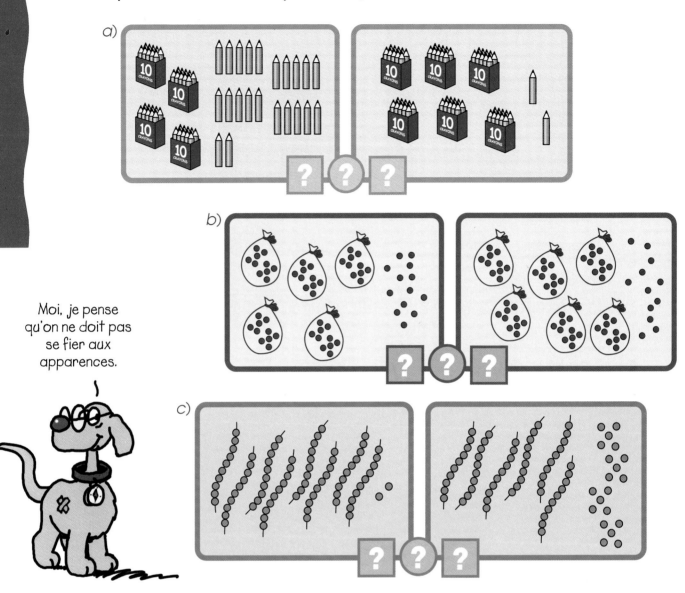

Moi, je pense qu'on ne doit pas se fier aux apparences.

3. Combien de mains faut-il pour obtenir le nombre de doigts indiqué ?

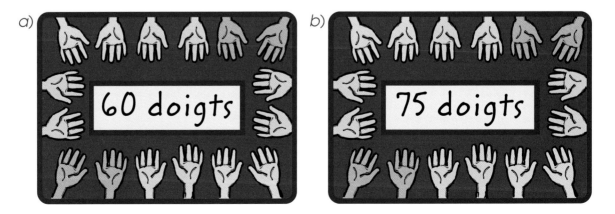

a) 60 doigts

b) 75 doigts

4. Trouve trois cartes qui te permettent d'obtenir le nombre indiqué.

a) Un nombre plus petit que 80

b) Un nombre plus grand que 60

c) Un nombre plus petit que 70

Tu peux utiliser ta calculatrice pour t'aider.

d) Un nombre plus grand que 100

5. Trouve la troisième carte qui te permettra d'obtenir le nombre **le plus près** de celui de la première colonne.

Nombre à obtenir	1re carte	2e carte	3e carte
a) **56**	30	10	5 20 30
b) **72**	20	30	5 10 20
c) **48**	5	20	10 20 30
d) **64**	20	10	10 20 30

6. Monica a 52 ¢.
Trouve combien d'argent a chacun
de ses camarades.
Dessine les pièces sur une feuille
pour t'aider.

a) Renelle a un et trois de plus que Monica.

b) Anthony a trois de plus que Monica et deux de moins.

c) Maryse a un de moins que Monica et cinq de plus.

d) Alexis a deux de plus que Monica et deux de plus.

7. Qui a moins d'argent que Monica ?

Comme votre enfant a déjà accompli un travail semblable dans une excursion précédente, proposez-lui de vous en parler. C'est là une excellente façon de stimuler sa mémoire et de l'amener graduelle-ment à faire des liens entre différentes activités de numération.

Repère

Si tu fais plusieurs essais avec les mêmes objets, tu pourras faire des estimations plus justes.

Pour vérifier tes estimations, tu peux grouper les objets par cinq ou par dix, puis les compter.

Nomme des situations où il peut être utile de faire des estimations. Comment peux-tu disposer les objets pour te faire plus rapidement une idée de leur quantité ? Explique en quoi le fait de discuter avec tes camarades t'a permis d'améliorer ta démarche de travail.

3. Les casse-tête

Comment ferais-tu pour construire un casse-tête ? Connais-tu des jeux où tu dois créer des formes à partir de figures géométriques ? En quoi cela ressemble-t-il à un casse-tête ?

Pour exploiter notre créativité, créons des formes à partir de figures géométriques.

1. Quelles figures géométriques a-t-on utilisées pour faire le loup, l'usine, la fusée ? Combien de pièces du casse-tête ont été utilisées chaque fois ?

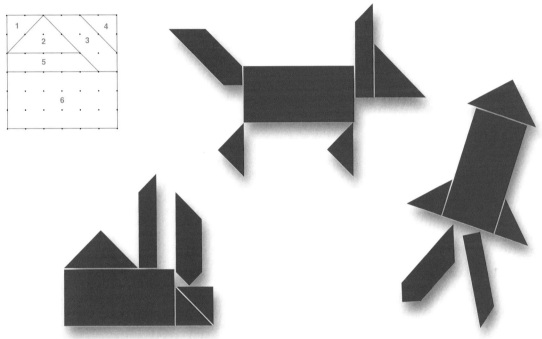

10.3

2. Fabrique un casse-tête en suivant la démarche proposée.

10-3a

- Sur du papier pointé, dessine un carré de un décimètre de côté.

- Partage ton carré en 5 ou 6 morceaux en traçant des lignes droites.

- Découpe tes pièces et explore les personnages ou les objets que tu peux faire.

3. Choisis deux formes que tu peux faire avec tes pièces et traces-en les contours. Donne ensuite un nom à tes créations et propose à un ou à une camarade de reconstituer tes casse-tête.

Essaie de refaire le carré de départ.

Nomme les figures géométriques qui ont servi à faire les pièces de ton casse-tête. Explique les noms que tu as choisis pour les formes que tu as créées. Comment as-tu procédé pour reconstituer les formes créées par tes camarades ?

1. À l'aide des pièces qu'on te remet, fais les quadrilatères en respectant le nombre de pièces indiqué.

Tes pièces de départ :

a) 2 pièces

b) 2 pièces

e) 2 pièces

c) 3 pièces

f) 4 pièces

d) 3 pièces

Un quadrilatère est une figure à 4 côtés. Moi, je suis un quadrupède.

2. Reproduis les formes en utilisant le nombre de pièces indiqué.

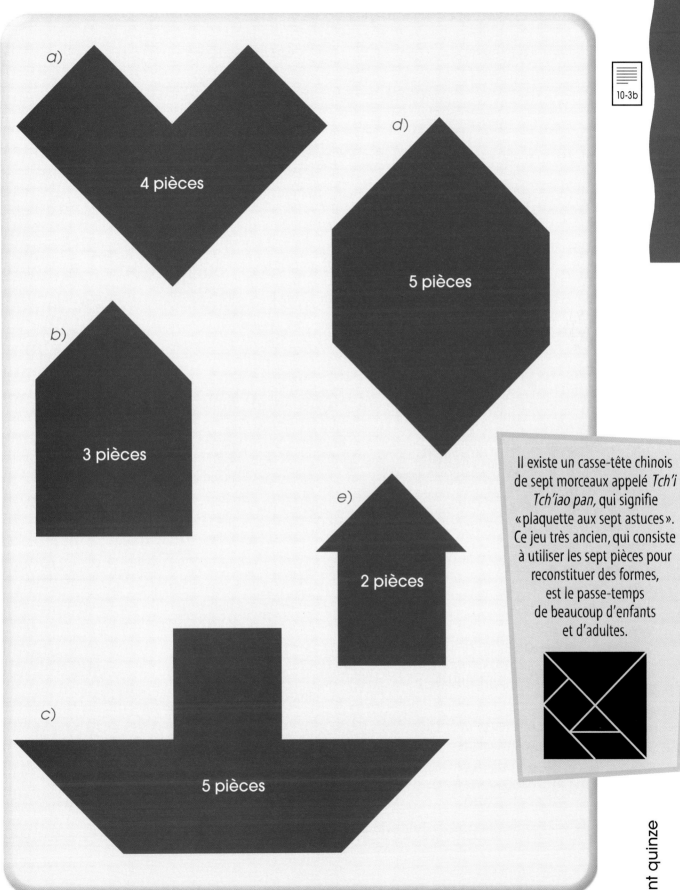

a)

4 pièces

d)

5 pièces

b)

3 pièces

e)

2 pièces

c)

5 pièces

Il existe un casse-tête chinois de sept morceaux appelé *Tch'i Tch'iao pan,* qui signifie «plaquette aux sept astuces». Ce jeu très ancien, qui consiste à utiliser les sept pièces pour reconstituer des formes, est le passe-temps de beaucoup d'enfants et d'adultes.

10-3b

3. Chaque triangle représente la moitié d'un quadrilatère. Associe chaque quadrilatère à sa moitié.

Triangles

Quadrilatères

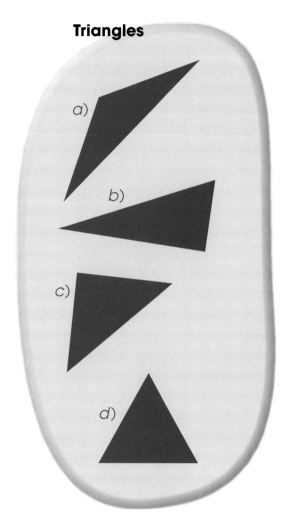
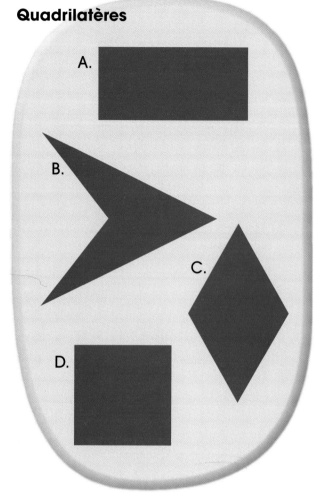

Repère

- Avec deux triangles identiques, tu peux faire des quadrilatères.

- Si ces deux triangles ont un «coin carré», tu peux faire un triangle et un rectangle et, dans certains cas, un carré.

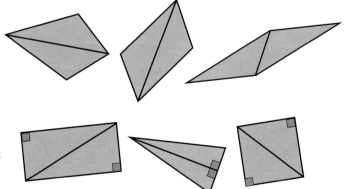

Dis pourquoi les carrés et les rectangles sont des quadrilatères. Explique ce qu'ont de particulier les deux triangles qui permettent de faire des carrés.

C'est utile

1. La monnaie

Quelles pièces de monnaie connais-tu ? Qu'est-ce qui les distingue ?
Selon toi, de quelles façons peux-tu obtenir 1 $ avec des pièces de monnaie ?

Observons des données et trouvons différentes façons de représenter un même montant d'argent afin de mieux connaître la valeur des pièces de monnaie.

1. Observe les articles illustrés.

a) Que peux-tu dire de leur prix ?

OBJETS USAGÉS

1,25 $ · 25 ¢ · 75 ¢ · 60 ¢ · 42 ¢ · 33 ¢ · 25 ¢ · 1 $ · 50 ¢

b) Les deux porte-monnaie contiennent le même montant d'argent.

Ce montant correspond au prix d'un des articles illustrés. Quel est cet article ? Il y a trois réponses possibles.

3 pièces de monnaie

4 pièces de monnaie

2. Joins-toi à un ou à une camarade.

a) Choisissez un des articles, puis trouvez deux façons différentes de le payer avec le montant juste.

b) Notez sur une feuille les deux façons que vous avez trouvées en illustrant chacune des pièces de monnaie.

c) Remettez cette feuille à une autre équipe et demandez-lui de trouver l'article que vous avez choisi.

Explique comment vous avez procédé pour trouver deux façons de payer un même montant. De quoi fallait-il tenir compte pour trouver le contenu des porte-monnaie ? Quelles pièces te permettent de calculer rapidement un montant ? Pourquoi ?

1. Dis si chaque enfant a assez d'argent pour acheter ce qui est illustré. Explique ta réponse à l'aide d'une expression mathématique.

Exemple :

60 ¢

Oui, parce que 65 > 60

a)

42 ¢

b)

60 ¢   25 ¢

Plusieurs situations de la vie courante peuvent être exploitées pour inciter votre enfant à faire des échanges de pièces de monnaie (ex. : au supermarché, au restaurant, etc.). Cela lui permet de se sensibiliser à la valeur de la monnaie et d'explorer différentes façons de représenter un même nombre.

c)

25 ¢   33 ¢

2. Qu'est-ce qui coûterait le plus cher ? Explique ta réponse à l'aide d'une expression mathématique.

a)

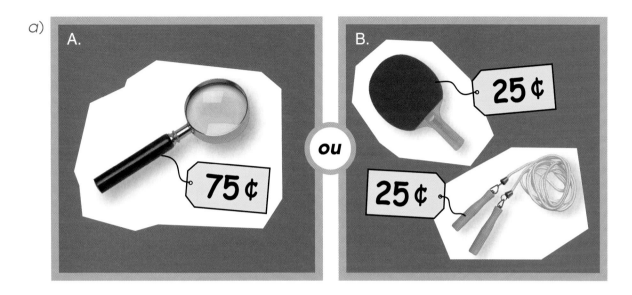

b)

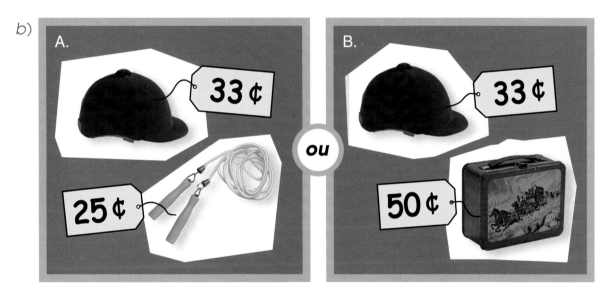

c)

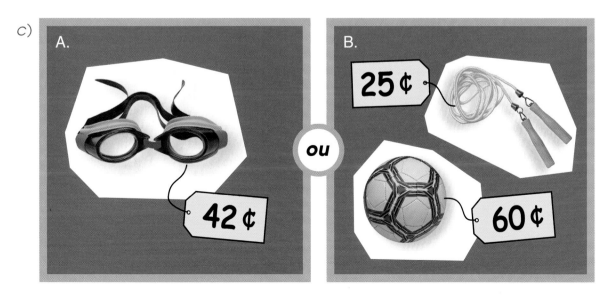

3. Combien de pièces sont nécessaires dans chaque cas pour obtenir 1 $?

a)   b)   c)

4. Quelles pièces de monnaie te permettraient d'obtenir le montant donné ?

a) 12 ¢

b) 40 ¢

c) 25 ¢

d) 1,25 $

>>>

Repère

Il y a plusieurs façons d'obtenir un même montant d'argent avec des pièces de monnaie.

Explique en quoi c'est pratique de connaître la valeur des pièces de monnaie.
Si on t'offrait de choisir trois pièces de monnaie, lesquelles prendrais-tu pour obtenir la plus grande somme d'argent ?

2. Le travail à la chaîne

Quelles combinaisons de vêtements peux-tu faire avec un pantalon et deux chandails, un bleu et un vert ? Et si tu avais un pantalon de plus ?

Pour exploiter notre créativité, faisons des combinaisons de couleurs et de motifs qui permettent de créer différents imprimés.

1. Observe les machines. Que fait la première machine ? la deuxième ? Combien d'imprimés différents peut-on faire avec ces deux machines ? Dessine-les sur des carrés de papier.

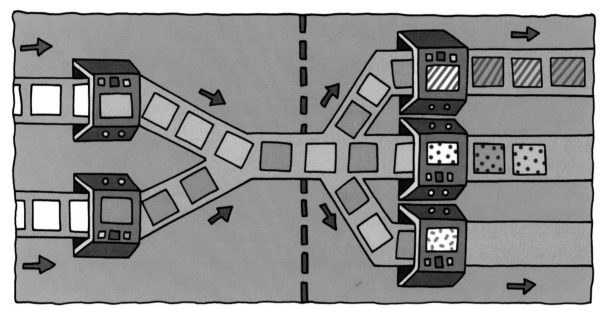

2. Joins-toi à un ou à une camarade pour créer des imprimés.

- L'élève numéro 1 est coloriste. Il ou elle choisit deux ou trois couleurs très pâles et les applique comme couleurs de fond sur des carrés de papier.

- L'élève numéro 2 est graphiste. Il ou elle choisit deux ou trois motifs et les trace sur les couleurs de fond en utilisant un crayon de couleur foncée.

3. Préparez une affiche pour présenter vos créations à la classe.

Explique comment tu as procédé pour savoir si tu as fait toutes les combinaisons possibles. Que pourrais-tu créer d'autre en combinant des éléments différents, comme des formes et des couleurs ?

1. Quels chapeaux n'ont pas été décorés avec les fleurs et les rubans suivants ?

Accessoires

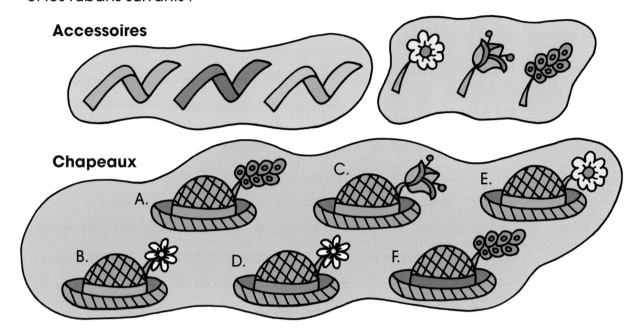

Chapeaux

A.
C.
E.
B.
D.
F.

2. Dessine un chapeau différent en utilisant chacun des deux types d'accessoires.

3. Lili a trois chandails et deux pantalons. Voici trois des six façons dont elle peut les agencer. Trouve les trois autres ensembles.

4. Que doit acheter Lili pour avoir trois ensembles de plus ?

Repère

Tu peux faire beaucoup d'ensembles en combinant un petit nombre d'éléments différents.

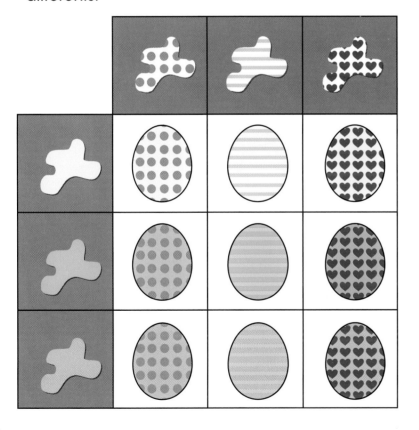

Dans les jeux de bricolage qui lui donnent l'occasion d'agencer divers éléments, l'enfant explore les différentes façons de combiner des éléments pour produire de nouvelles créations. N'hésitez pas à récupérer divers objets, à les mettre à la disposition de votre enfant qui pourra les agencer de différentes façons.

Combien d'ensembles différents peux-tu faire avec deux chandails et deux pantalons ? Comment le sais-tu ? Nomme des exemples de la vie courante où il est possible d'obtenir plusieurs produits ou articles à partir de choix de couleurs, de motifs ou de formats.

3. Au jeu !

> Joins-toi à un ou à une camarade pour jouer aux jeux ci-dessous.

1. La dictée de nombres

2. Des figures au hasard

3. Le jeu du 10

11.3

10-3a

11-3a

> Explique comment tu pourrais améliorer tes compétences à l'un de ces jeux.
> Dis en quoi le fait de jouer avec ton ou ta camarade t'a permis de t'améliorer.

1. Associe chaque illustration à l'horloge appropriée.

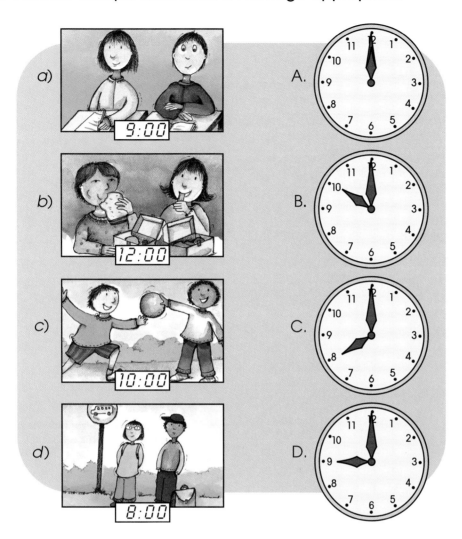

a) 9:00

b) 12:00

c) 10:00

d) 8:00

A.

B.

C.

D.

Feuilletez les pages du manuel avec votre enfant. Demandez-lui ce qui a été facile, plus difficile, amusant. Profitez-en pour l'encourager à exprimer ses sentiments sur tous ses nouveaux apprentissages : « Que ressens-tu ? De la fierté ? de la joie ? Te sens-tu capable de relever de nouveaux défis ? d'apprendre de nouvelles choses ? »

2. Complète les expressions mathématiques.
Utilise ta machine à calculer pour trouver la solution.

a)
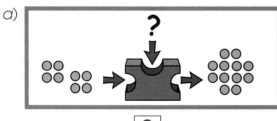

$$8 + \boxed{?} = 12$$

b)
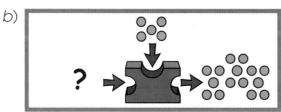

$$\boxed{?} + 5 = 15$$

c)
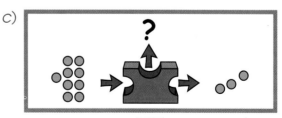

$$9 - \boxed{?} = 3$$

d)
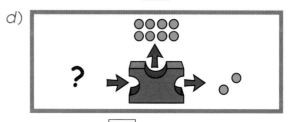

$$\boxed{?} - 8 = 2$$

3. Complète les expressions mathématiques à l'aide des symboles **<, >** ou =, selon le cas.

a)   5 + 5 + 5 + 5   **?**   10 + 10

b)   5 + 10 + 10 + 10   **?**   10 + 10 + 10 + 10

c)   10 + 20 + 30   **?**   10 + 20 + 20

d)   5 + 5 + 10 + 30   **?**   30 + 30

4. Nomme les pièces qui te permettent d'obtenir un total de 1 $.

a)

b)

c)

Repère

Lorsque tu as de la difficulté à comprendre un problème, tu peux poser une question pour demander de l'aide.

Comment puis-je utiliser ma machine à calculer pour résoudre

8 − ■ = 2 ?

Que signifie le mot « quadrilatère » ?

Explique ce que tu peux faire pour t'aider à comprendre un problème.
Explique ce que tu peux faire pour qu'on t'aide à comprendre un problème.

C'est différent

Un projet : **Compose une histoire**

Comment pourrais-tu composer une histoire qui contiendrait des données ou des notions mathématiques ?

De quelles histoires peux-tu t'inspirer ?

Est-ce que ton histoire fera appel aux nombres, aux opérations, à la mesure ou à la géométrie ?

Que se passera-t-il au début de ton histoire ? au milieu ? à la fin ?

Quels personnages choisiras-tu ? Où l'histoire se passera-t-elle ? En quelle année ?

Quels moyens peux-tu utiliser pour rédiger ton histoire ? Un logiciel de dessin ? un traitement de texte ? du découpage d'illustrations et du collage ?

Comment t'y prendras-tu pour présenter ton histoire ? Est-ce que cela ressemblera à une affiche ? à un livret de lecture ? à un collage ? à un livre-cassette ?

Présente ta production et participe à ton évaluation.

1. Pour tous les goûts

D'après toi, quels aliments sont bons pour la santé ? Quels aliments font partie de la catégorie du lait et des produits laitiers ? Lesquels font partie des fruits et légumes ? Combien d'aliments de ces deux catégories manges-tu dans une journée ?

Pour nous sensibiliser à une saine alimentation, apprenons à choisir nos aliments et explorons le sens des opérations.

Les aliments ci-dessous font partie des quatre catégories d'aliments dont tu as besoin pour être en santé.

 lait
 bagel
 poulet
 kiwi
 brocoli
 œuf

12-1a

1. Choisis parmi les cartes-aliments que tu recevras des aliments que tu pourrais manger au cours d'une journée. Assure-toi de prendre des aliments dans chacune des catégories.

2. Joins-toi à un ou à une camarade.

a) Groupez par catégorie les cartes-aliments que vous avez choisies.

 fromage yogourt
 banane tomate laitue
 porc poisson
 pain

b) Représentez vos choix à l'aide d'une expression mathématique.

$$2 + 3 + 2 + 1 = 8$$

c) Écrivez d'autres expressions mathématiques en utilisant les quatre mêmes nombres.

$$2 + 2 + 1 + 3 = 8 \qquad 3 + 2 + 2 + 1 = 8$$

$$2 + 1 + 2 + 3 = 8 \qquad 2 + 1 + 3 + 2 = 8 \qquad 2 + 3 + 1 + 2 = 8$$

d) Comparez vos expressions mathématiques à celles d'une autre équipe.

Dis ce que tu as appris sur chacune des catégories alimentaires. Dans quelle catégorie alimentaire avez-vous fait le plus de choix ? Explique comment tu as procédé pour trouver le plus d'expressions mathématiques avec les quatre mêmes nombres.

12.1

1. *a)* Maude possède des chats, des oiseaux et une collection
de 6 belles roches. En tout, elle voit 14 pattes.
Combien de chats et d'oiseaux Maude possède-t-elle ?

b) Le manège est formé de 6 wagons.
On peut asseoir 3 personnes par wagon.
Il y a 10 personnes qui attendent pour monter.
Combien de wagons peut-on remplir ?

c) Stéphane et Cathy ont ensemble 12 oursons.
Si chaque enfant a plus de 3 oursons,
combien Stéphane et Cathy peuvent-ils avoir
d'oursons séparément ?

Peu à peu, votre enfant apprend à mémoriser les résultats de certaines additions et soustractions. Lorsque vous jouez ensemble à des jeux de table (ex. : dés, dominos, etc.) ou à des jeux sur ordinateur, n'hésitez pas à l'encourager à calculer mentalement le total des points. Ensemble, trouvez des moyens qui peuvent l'aider à mémoriser les résultats de certaines opérations.

Exemples :

- *changer l'ordre des termes quand on additionne deux nombres (en général, 7 + 2 est plus facile à compter que 2 + 7) ;*
- *partir de ce qu'on connaît pour trouver ce qu'on connaît moins (je commence par 4 + 4, je cherche ensuite 4 + 5) ;*
- *visualiser les tables d'addition ou de soustraction présentées sur une feuille ;*
- *écrire en gros les opérations plus difficiles et les afficher sur le réfrigérateur.*

Sur un papyrus égyptien, on a utilisé une paire de jambes marchant dans un sens pour illustrer une addition et dans l'autre sens pour illustrer une soustraction.

Le papyrus, c'est une plante dont se servaient les Égyptiens pour fabriquer des feuilles sur lesquelles ils écrivaient.

2. Dans chaque cas, nomme deux additions et deux soustractions que tu peux composer en utilisant les nombres proposés.

a)

b)

3. Quels nombres manquent dans chaque expression mathématique ? Attention, tu dois utiliser le même nombre lorsque les formes sont identiques.

a) **?** + **?** = 8

   ? + **?** + **?** = 8

   ? + 7 = 8

b) **?** + **?** + **?** = 9

   ? + **?** = 9

   9 – 5 = **?**

L'Anglais Robert Recorde (1510-1558) a proposé en 1557 le signe **=** pour représenter l'égalité. Il a choisi deux petites lignes droites car, disposées ainsi, elles étaient comme des jumelles, selon lui, et que rien n'est plus pareil que deux jumeaux.

Repère

Si on change l'ordre des termes dans une addition, on obtient toujours la même somme.

Exemple :

$$3 + 2 + 1 = 6 \qquad 1 + 3 + 2 = 6$$

Nomme l'aliment que tu préfères dans chaque catégorie alimentaire.
Quels aliments sont bons pour la santé ?
Qu'arrive-t-il si on change l'ordre des termes dans une addition ?

2. Des agencements de figures

Qu'est-ce qu'un dallage, selon toi ? Qu'est-ce qu'une courtepointe ?
Comment en fait-on une, selon toi ?

**Pour développer notre créativité et apprécier des objets de notre
environnement, observons des régularités et créons-en de nouvelles
avec des figures géométriques.**

1. Observe la courtepointe et le mur de briques.
Quelle figure a été utilisée dans chaque cas ?

12-2a

2. Joins-toi à quelques camarades.

a) À l'aide de plusieurs exemplaires d'une figure, créez un dallage
différent par élève.

b) Présentez les créations de votre équipe à la classe en précisant :

- le nom de la figure choisie ;

- les différences entre vos dallages (agencement des formes,
  couleurs, etc.) ;

- les façons dont on pourrait utiliser vos dallages pour décorer un objet.

Comment as-tu choisi le dallage que tu ferais ? Quelle est la plus grande surface
que tu pourrais recouvrir avec ton dallage ?

1. Observe les deux dallages.

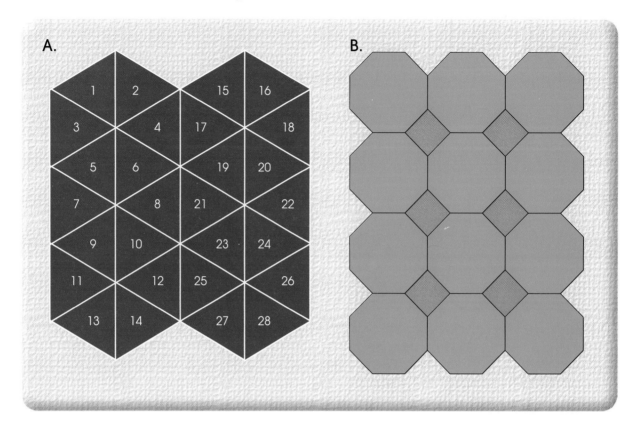

a) Combien de figures différentes ont servi à faire :

- le dallage A ?
- le dallage B ?

b) Place un jeton sur le nom des figures qui ont servi à faire ces dallages.

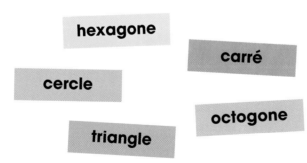

c) Repère dans le dallage A :

- deux quadrilatères de formes différentes ;
- un hexagone ().

L'étude de régularités est un aspect fondamental en mathématique. La reconnaissance de structures répétitives fait appel à plusieurs notions telles que la couleur, la forme, l'orientation, le nombre et les relations entre ces notions.

Encouragez votre enfant à observer des régularités géométriques dans la vie quotidienne : recouvrements de planchers, pavages d'entrées extérieures, décorations de divers objets, etc. Vous lui permettrez ainsi non seulement de découvrir un aspect mathématique essentiel, mais aussi de remarquer son environnement.

2. Avec plusieurs exemplaires d'un pentagone ( ), on ne peut pas faire un dallage, car il y a des trous.

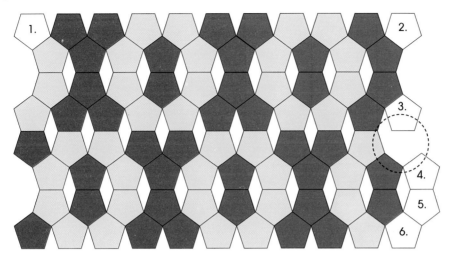

a) Parmi les figures ci-dessous, lesquelles permettraient de remplir les trous ?

A.   B.   C.   D.

b) Dis de quelle couleur devrait être chacun des pentagones blancs en respectant la régularité des couleurs.

c) Quelle figure devrait apparaître dans le cercle pointillé ?

A.   B.   C.   D.

3. Quel est le nom de l'insecte qui fait cette construction ?

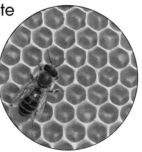

Les alvéoles sont faites de cire. L'insecte qui les produit les utilise pour déposer ses œufs et sa nourriture.

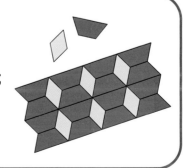

Repère

Pour faire un dallage :
- tu dois utiliser des figures géométriques dont les côtés sont formés de lignes droites ;
- tu dois être capable d'agencer les figures géométriques sans qu'il y ait de trou entre les figures et sans les superposer.

Nomme des endroits où tu peux voir des dallages. Explique pourquoi les casse-tête ayant des pièces semblables à celle-ci ne sont pas des dallages.

3. Des problèmes de toutes sortes

Que représente l'illustration ? Si tu avais à composer une histoire à partir de cette illustration, quelles en seraient les étapes importantes ? En quoi un problème mathématique est-il différent d'une histoire ? Quel genre de problème as-tu déjà résolu ?

Apprenons à utiliser des données pour composer des problèmes et les résoudre.

1. Joins-toi à d'autres élèves. Observez ensemble l'illustration, en prêtant attention aux données fournies.

2. Composez un problème mathématique à partir des données fournies sur l'illustration. Proposez votre problème à une autre équipe.

En quoi l'illustration vous a-t-elle été utile pour composer votre problème ?
Dis comment les autres ont réagi au problème que vous avez composé.
Comment avez-vous procédé pour résoudre le problème qui vous a été proposé ?

1. Joins-toi à un ou à une camarade.

a) À tour de rôle, lancez un dé et observez la case correspondant au nombre de points obtenu.

b) Formulez une question ou une consigne en vous inspirant de l'illustration et posez-la à votre partenaire.

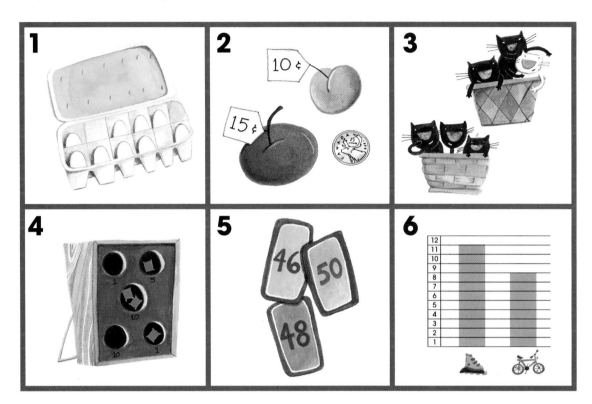

2. Les expressions mathématiques ont été formées à partir des illustrations du numéro 1.

- Formule une question qui te permettrait d'obtenir chaque expression mathématique comme réponse.
- Présente-la à un ou à une camarade.

> *Exemple :*
>
> **5 – 1 = 4**   Combien de chats noirs y a-t-il de plus que de chats blancs ?

a) **12 – 3 = 9**

b) **25 – 10 = 15**

c) **10 + 10 + 5 + 1 = 26**

3. Complète le problème à partir des données fournies dans l'expression mathématique, puis trouve la solution.

a) Au village, un serviteur a acheté ⟨?⟩ jarres pour l'eau.

Il a aussi acheté ⟨?⟩ jarres pour l'huile.

Il a quitté le village avec ses ⟨?⟩ chameaux.

Sur le chemin du retour, il a brisé ⟨?⟩ jarres.

Combien de jarres lui reste-t-il ?

Expression mathématique : 8 + 3 − 2 = ⟨?⟩

b) On a donné ⟨?⟩ pièces d'or au serviteur.

Le serviteur a utilisé ⟨?⟩ pièces d'or pour acheter ⟨?⟩ sacs de farine.

Combien de pièces d'or reste-t-il au serviteur ?

Expression mathématique : 10 − 7 = ⟨?⟩

4. À ton tour de composer un problème ! Remplace le ⟨?⟩ par un nombre de ton choix et choisis un des deux mots entre parenthèses. Note l'expression mathématique qui correspond à ton problème et trouve la solution.

a) Sur la table, il y a ⟨?⟩ jarres.

Le serviteur a (ajouté, enlevé) ⟨?⟩ jarres sur la table.

Combien de jarres y a-t-il maintenant sur la table ?

b) Au village, le serviteur a vu ⟨?⟩ chameaux ce matin.

Vers midi, ⟨?⟩ chameaux sont (arrivés, partis).

Un peu plus tard, ⟨?⟩ autres chameaux sont (arrivés, partis).

Combien de chameaux y a-t-il maintenant au village ?

Une jarre peut servir à conserver de l'eau, de l'huile ou d'autres liquides.

En apprenant à composer des problèmes ou à formuler des questions, l'enfant fait le lien entre les données fournies et ce qui est cherché. Le fait que les autres doivent comprendre son problème pour le résoudre l'amène aussi à faire preuve d'imagination et l'aide à mieux saisir l'importance de communiquer clairement les données.

5. On te fournit une illustration et la réponse à un problème. Quelle question te permettrait d'obtenir cette réponse ?

a)

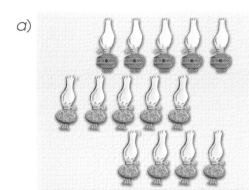

Réponse : 4 lampes

- Combien de lampes bleues y a-t-il de plus que de lampes roses ?
- Combien de lampes bleues y a-t-il de moins que de lampes roses ?
- Combien de lampes y a-t-il en tout ?

b)

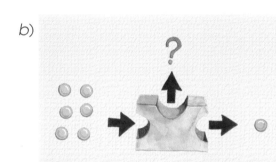

Réponse : 5 jetons

- Combien de jetons Robert a-t-il perdus ?
- Combien de jetons Robert a-t-il gagnés ?
- Combien de jetons reste-t-il à Robert ?

c)

Réponse : Oui, parce que 45 = 45.

- Est-ce que Coralie a assez d'argent pour acheter une balle ?
- Est-ce que Coralie a assez d'argent pour acheter un bracelet ?
- Est-ce que Coralie a assez d'argent pour acheter un coffret et une balle ?

Repère

Pour composer un problème, tu dois :

- présenter les données du problème ;
- préciser ce qui se passe ;
- formuler une question pour indiquer ce qu'il faut chercher ;
- vérifier s'il est possible de trouver la solution à partir des données que tu as fournies.

> Au marché, il y avait sur une table 8 grosses jarres pour l'eau et 4 petites jarres pour l'huile.

> Le serviteur a acheté 3 grosses jarres.

> Combien de grosses jarres reste-t-il sur la table ?

Qu'est-ce que tu as amélioré dans ta façon de composer un problème ou de formuler une question ? Quelle est l'utilité d'une expression mathématique ?

Ça m'aide

1. Les nombres, c'est pratique !

Quels nombres sont écrits sur les boîtes de conserve ? Que désignent-ils, en général ? Quels autres renseignements trouves-tu sur les étiquettes de boîtes de conserve ?

Pour apprendre à bien lire les étiquettes, explorons l'écriture de nombres à trois chiffres.

Joins-toi à un ou à une camarade.

a) Notez sur une feuille les nombres écrits sur les étiquettes des boîtes de conserve que vous avez observées.

b) Trouvez une façon de classer ces nombres.

c) Présentez votre classification à une autre équipe. Demandez-lui de trouver les critères que vous avez utilisés pour classer vos nombres.

Donne deux exemples de nombres qu'on peut lire sur une boîte de conserve : un sur une grosse boîte et l'autre sur une petite. Qu'avez-vous d'abord fait pour classer les nombres que vous aviez notés ? ensuite ?

1. Place un jeton sur les représentations qui correspondent au nombre 100.

a) 99 + 1

b) 50 + 10 + 10 + 10 + 10

c) 10 + 10 + 10 + 10 + 10 + 10 + 10 + 10 + 10

d) 100 unités

e) 50 + 50

f) 90 + 1

g) 10 dizaines

h) 80 + 10 + 10

2. Combien de dizaines faut-il ajouter pour former les centaines ?
Observe l'exemple pour t'aider.

Il y a...	On ajoute...	Pour obtenir...
Exemple :	**3** dizaines	200
a)	**?** dizaines	100
b)	**?** dizaines	300
c)	**?** dizaines	200

3. Représente les nombres avec des chiffres, un dessin ou des mots, selon le cas. Observe l'exemple pour t'aider.

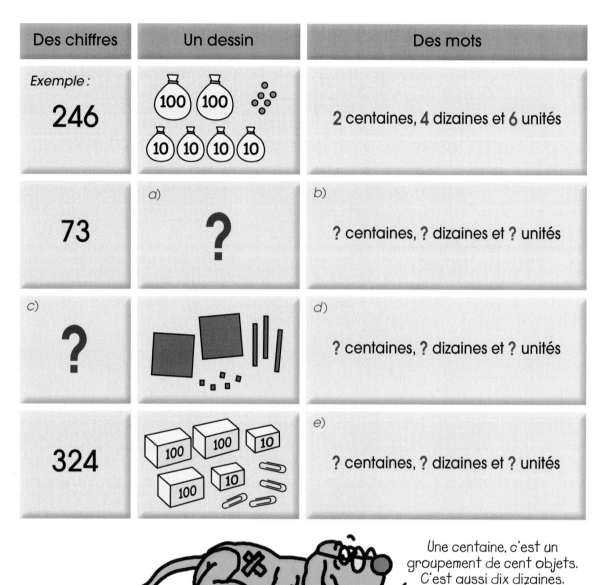

Des chiffres	Un dessin	Des mots
Exemple : **246**	100 100 ∴ 10 10 10 10	**2** centaines, **4** dizaines et **6** unités
73	a) **?**	b) **?** centaines, **?** dizaines et **?** unités
c) **?**	100 100 ▮▮▮ ▫ ▫ ▫ ▫	d) **?** centaines, **?** dizaines et **?** unités
324	100 100 10 100 10 ⬭⬭⬭	e) **?** centaines, **?** dizaines et **?** unités

Une centaine, c'est un groupement de cent objets. C'est aussi dix dizaines.

4. Lis les indices et trouve le nombre correspondant.

| 448 | 43 | 138 | 61 | 232 | 38 |

a) • Si on additionne les chiffres formant ce nombre, on obtient 7.
 • Il est formé de deux chiffres.
 • Il est plus grand que 50.

b) • Il est formé de trois chiffres.
 • Le chiffre à la position des centaines est le même que celui à la position des unités.

5. Nomme les nombres que tu peux former avec les chiffres qui te sont donnés. Tu ne peux utiliser plus d'une fois le même chiffre pour former un nombre.

4	3	6	2

a) Le plus grand nombre formé de trois chiffres.

b) Le plus petit nombre formé de deux chiffres.

c) Le plus grand nombre formé de deux chiffres.

d) Le plus petit nombre formé de trois chiffres.

Je me demande comment on écrit le nombre 220 en chiffres romains. Peux-tu m'aider ?

Les Romains devaient utiliser plusieurs symboles lorsqu'ils voulaient représenter des nombres. Ainsi, 326 s'écrivait

CCCXXVI.

100 10   5   1

Votre enfant a exploré les nombres plus grands que 100, entre autres en observant les étiquettes sur les boîtes de conserve. N'hésitez pas à refaire ce genre d'exploration à la maison, par exemple en lui demandant de décrire et d'expliquer les nombres écrits sur certains emballages. Votre enfant peut très bien y arriver sans pour autant savoir nommer tous ces nombres. Faites-lui observer la façon dont ils sont formés et écrits. Cette activité lui permet à la fois d'explorer les nombres et de se rendre compte que les notions apprises à l'école servent dans la vie courante.

Repère

Pour écrire des nombres, on utilise toujours les chiffres de 0 à 9. Dans un nombre à trois chiffres, le chiffre de gauche indique les centaines, celui du milieu les dizaines et celui de droite les unités.

326

3 centaines
2 dizaines
6 unités

Explique en quoi lire les nombres peut être utile dans la vie de tous les jours. Qu'est-ce que tu as appris de nouveau sur les nombres au cours de l'excursion ?

2. Des consignes précises

Qu'est-ce qu'une consigne ? Dans quelles situations dois-tu en suivre ? Dans quelles situations en as-tu déjà donné ? Quelles figures géométriques peux-tu tracer ?

Pour apprendre à communiquer, formulons des consignes afin de faire tracer des figures géométriques.

1. La figure a été tracée selon les consignes ci-dessous.
Quelles consignes faut-il ajouter pour former une figure fermée de six côtés ?

Consignes

A. Avance de 2 centimètres ↑.

B. Avance de 2 centimètres →.

C. Avance de 3 centimètres ↑.

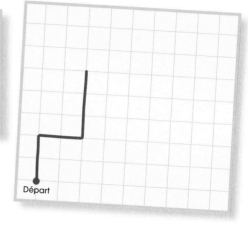

13.2

2. À ton tour de formuler des consignes !

- Sur la feuille qu'on te remet, dessine une figure géométrique fermée.

- Écris des consignes en précisant, pour chaque côté de la figure :

  – la longueur de la ligne à tracer ;

  – la direction à suivre (←, →, ↓ ou ↑).

- Dicte tes consignes à un ou à une camarade.

- Compare le dessin de ton ou de ta camarade avec le tien.

Quel est le nom de la figure géométrique que tu as dessinée ? De quelle longueur est le trajet qui permet de tracer ta figure ? Y avait-il des consignes imprécises ? Qu'est-il arrivé dans ce cas ?

1. La souris se déplace le long des lignes du quadrillé.

a) Place un jeton sur le morceau de fromage qu'elle mangera si elle suit ce trajet.

Consignes
1. Avance de 4 centimètres ↑.
2. Avance de 4 centimètres →.
3. Avance de 2 centimètres ↑.
4. Avance de 7 centimètres ←.
5. Avance de 2 centimètres ↓.

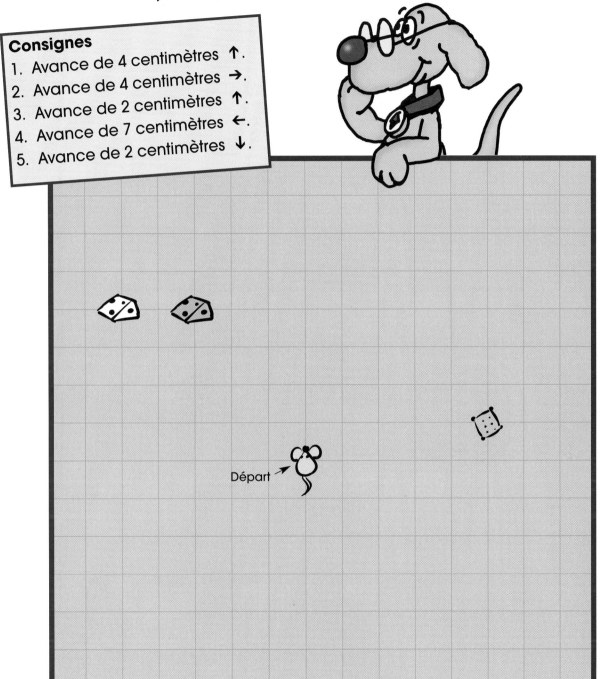

Départ

b) De quelle longueur est ce trajet en centimètres?

c) En partant du point de départ, décris un trajet de 10 centimètres qui mènerait la souris à son biscuit ( ).

d) En partant du point de départ, décris un trajet qui forme un carré.

2. Observe les figures. Dis dans chaque cas s'il s'agit d'une ligne...

- courbe fermée
- courbe ouverte
- brisée fermée
- brisée ouverte

a)

b)

c)

d)

e)

f)

3. Complète les phrases avec le choix de réponses du numéro 2.

a) On peut dessiner un quadrilatère en traçant une ligne...

b) On peut dessiner un triangle en traçant une ligne...

c) On peut dessiner un cercle en traçant une ligne...

Lorsque votre enfant vous décrit un objet ou son emplacement, demandez-lui de faire preuve de précision. L'utilisation d'un vocabulaire précis et varié facilite la communication et favorise l'apprentissage de nouvelles notions. Une façon de bien lui faire comprendre l'importance de la précision dans les consignes est de lui montrer la programmation de certains appareils comme le réveil.

4. Observe la façon dont ont été tracés les cercles.

a) En utilisant cette technique, dessine deux autres cercles de différentes grandeurs sur une feuille de papier.

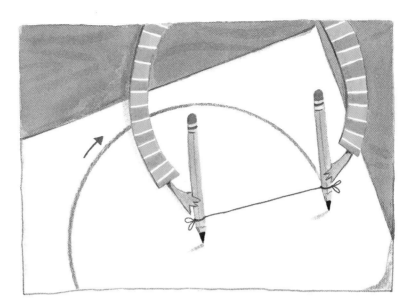

Le compas est un outil qui permet de tracer des cercles. Il existe depuis très longtemps. On « pique » l'une des pointes et on fait tourner le compas en appuyant sur l'autre pointe.

b) Décris à un ou à une camarade ce que tu as fait pour obtenir deux cercles de différentes grandeurs.

Repère

Pour montrer ce que tu sais à propos des figures géométriques, tu peux utiliser :

• le découpage ;

• le dessin à l'aide de divers outils ;

• des mots.

Avance de...

C'est un quadrilatère dont chaque côté mesure 2 centimètres.

Nomme des objets qui fonctionnent à partir d'instructions programmées. Comment peux-tu t'assurer que les consignes que tu formules sont précises ? Nomme les types de lignes que tu connais et donne des exemples de chacun à l'aide de dessins.

3. Une grille de nombres

13.3

As-tu déjà utilisé une grille de nombres ? En quelle occasion ?
Quels renseignements peux-tu obtenir en observant une grille de nombres ?

Pour apprendre à communiquer, observons une grille de nombres et formulons des questions sur les régularités et les opérations.

1. Observe la grille de nombres. Formule une question dont la réponse correspond aux nombres encerclés.

0	1	2	3	4	⑤	6	7	8	9
⑩	11	12	13	14	⑮	16	17	18	19
⑳	21	22	23	24	25	26	27	28	29
30	31	32	33	34	35	36	37	38	39
40	41	42	43	44	45	46	47	48	49
50	51	52	53	54	55	56	57	58	59
60	61	62	63	64	65	66	67	68	69
70	71	72	73	74	75	76	77	78	79
80	81	82	83	84	85	86	87	88	89
90	91	92	93	94	95	96	97	98	99

2. Joins-toi à un ou à une camarade.

13-3a

a) Composez deux questions auxquelles il sera possible de répondre en utilisant la grille de nombres qui vous sera remise.

b) Proposez-les à une autre équipe. Inspirez-vous des exemples suivants.

> Quel nombre vient à la suite de 12, 22, 32 ?

> J'étais sur la case 30 et j'ai avancé de 4. Sur quelle case suis-je ?

> Quels nombres sont situés entre 43 et 47 ?

> Quel nombre vient immédiatement avant 80 ?

Explique comment vous avez procédé pour composer vos questions.
En quoi la grille de nombres vous a-t-elle été utile pour répondre aux questions posées par l'autre équipe ? Que remarques-tu si tu observes les nombres qui se trouvent dans une même rangée ? dans une même colonne ?

1. Observe les suites de nombres et continue-les.

a) | 5 | 15 | 25 | ? | ? |

b) | 7 | 17 | 27 | ? | ? |

Utilise ta grille de nombres pour t'aider.

2. Explique ce que tu dois faire pour…

a) arriver sur la case 27 en partant de 23.

b) arriver sur la case 67 en partant de 63.

3. Sur une feuille, écris dans l'ordre tous les nombres situés entre…

a) 73 et 77   b) 83 et 87

4. Trouve les nombres manquants dans les suites de nombres.

a) (22) (?) (?) (28) (30) (32)

b) (52) (?) (?) (58) (60) (62)

c) (41) (39) (?) (?) (33) (?)

d) (51) (?) (47) (?) (?) (41)

On dit parfois des gens qui réussissent en mathématique qu'ils ont la « bosse des mathématiques », bosse qui les prédisposerait à réussir dans cette matière. Cette croyance doit son origine au biologiste allemand Franz Joseph Gall qui, vers la fin du 18ᵉ siècle, prétendait pouvoir déduire le caractère et les aptitudes intellectuelles d'une personne à partir de la forme (bosses et creux) de son crâne. En fait, il a été démontré que la « bosse des maths » n'existe pas, que c'est un mythe. La mathématique est, pour les élèves, un champ d'exploration au même titre que la musique ou la géographie. Aimer ou non la mathématique n'a rien d'héréditaire ou de biologique. Toutefois, vivre des succès dans un domaine peut amener une personne à s'intéresser à ce domaine plutôt qu'à un autre.

5. Observe ce qui a été fait sur la bande de nombres.

• Complète l'expression mathématique correspondante.

• Explique comment tu as procédé.

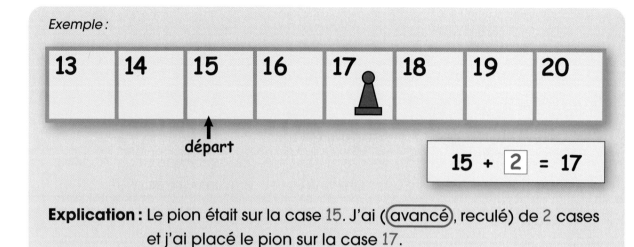

Exemple :

13	14	15	16	17	18	19	20

↑ départ

$$15 + \boxed{2} = 17$$

Explication : Le pion était sur la case 15. J'ai (avancé, reculé) de 2 cases et j'ai placé le pion sur la case 17.

a)

20	21	22	23	24	25	26	27

↑ départ

$$24 - \boxed{?} = 20$$

Explication : Le pion était sur la case...

J'ai ... de ... cases et j'ai placé le pion sur la case...

b)

31	32	33	34	35	36	37	38

↑ départ

$$33 + \boxed{?} = 36$$

Explication : Le pion était sur la case...

J'ai ... de ... cases et j'ai placé le pion sur la case...

6. Dans chaque cas, observe la régularité et trouve les deux expressions mathématiques qui suivent. Consulte ta grille de nombres au besoin.

a)

| 10 + 3 = 13 |
| 20 + 3 = 23 |
| 30 + 3 = 33 |
| ? |
| ? |

b)

| 2 + 2 = 4 |
| 12 + 2 = 14 |
| 22 + 2 = 24 |
| ? |
| ? |

c)

| 35 – 5 = 30 |
| 45 – 5 = 40 |
| 55 – 5 = 50 |
| ? |
| ? |

7. Résous les problèmes à l'aide de ta calculatrice.
Décris ce que tu fais pour que ta calculatrice affiche le nombre indiqué.

a) Pour afficher le nombre 13 sans appuyer sur le $\boxed{1}$ ni sur le $\boxed{3}$.

b) Pour afficher un nombre qui a le chiffre 7 à la position des unités sans utiliser la touche $\boxed{7}$.

c) Pour afficher un nombre entre 30 et 40 sans utiliser la touche $\boxed{3}$.

d) Pour afficher un nombre à deux chiffres se terminant par 0 sans appuyer sur la touche $\boxed{0}$.

N'oublie pas d'appuyer sur $\boxed{\text{on}/\text{c}}$ *après chaque numéro.*

Repère

Tu peux utiliser une grille de nombres pour :
- trouver ou continuer des suites de nombres ;
- trouver un nombre qui est situé entre deux nombres ;
- t'aider à effectuer des additions ou des soustractions.

Qu'est-ce que tu as appris de nouveau sur la façon de formuler des questions précises ? sur les touches de la calculatrice ?

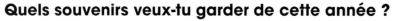

Ça passe vite

Un projet : **Souviens-toi de cette année**

Quels souvenirs veux-tu garder de cette année ?

Quels moyens peux-tu utiliser pour recueillir tes souvenirs ? Est-ce que tes plus beaux souvenirs proviennent d'une construction, d'un jeu, d'une histoire, d'une situation problème ?

Que peux-tu faire pour montrer à quel moment de l'année tu associes un souvenir ?

De quoi devras-tu tenir compte pour présenter tes souvenirs aux autres camarades de façon intéressante ?

Comment t'y prendras-tu pour présenter ton projet aux camarades ?

Présente ta production et participe à ton évaluation.

1. La course au trésor

Quel itinéraire peux-tu décrire facilement ? D'après toi, que doit-on indiquer lorsqu'on décrit un itinéraire ? Dis ce qu'indiquent les points cardinaux. As-tu déjà participé à une course au trésor ? Comment cela se passe-t-il ?

Pour communiquer de façon précise, utilisons les points cardinaux et construisons un itinéraire pour trouver un trésor.

1. Observe l'illustration et indique à l'enfant les directions à suivre pour trouver son ballon et son sac d'école.

2. Joins-toi à trois camarades pour préparer une course au trésor.

a) Décidez de l'endroit où vous voulez cacher le trésor qui vous sera remis.

b) Prévoyez un itinéraire en trois étapes pour se rendre au trésor.

c) Écrivez un message pour chaque étape (messages 1, 2, 3) afin d'aider les lecteurs à se rendre au trésor. Utilisez au besoin les mots «nord», «sud», «est» et «ouest».

d) Cachez les messages 2 et 3 ainsi que le trésor.

e) Remettez votre premier message à une autre équipe et faites la course au trésor.

14-1a

PLAN

NORD

OUEST

EST

1er message
Marche 12 pas en direction sud, puis 15 pas vers la droite.

Comment fais-tu pour déterminer le nord, le sud, l'est et l'ouest ? Est-ce que les messages que tu as reçus étaient clairs et précis ? Qu'est-ce qui te fait dire cela ? Que ferais-tu autrement si tu avais à préparer une autre course au trésor ?

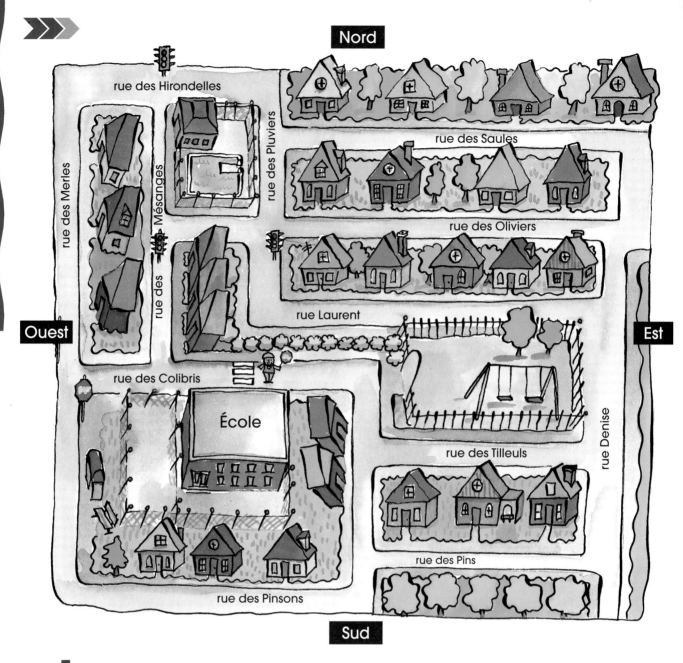

1. Suis chaque itinéraire et place un jeton sur la maison où Boussole arrivera.

a) **Premier itinéraire**

Boussole part de l'école, il marche dans la rue des Colibris vers l'ouest.

Il tourne sur la rue des Merles en direction sud.

Puis il prend vers l'est la première rue qu'il rencontre.

Il s'arrête à la deuxième maison.

b) **Deuxième itinéraire**

Boussole part de l'école, il marche dans la rue des Mésanges vers le nord.

Il tourne à l'est dans la première rue qu'il rencontre.

Il prend ensuite la rue des Pluviers vers le sud, puis se dirige à l'est sur la rue Laurent.

Il s'arrête à la quatrième maison.

2. Place un jeton sur les éléments que Boussole a vus sur :

a) le premier itinéraire.

b) le deuxième itinéraire.

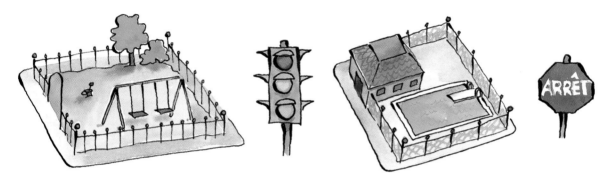

3. Lis les indices. Montre ensuite sur le plan la maison de chaque enfant.

a) Émile habite à l'est de l'école.
Sa maison est au sud du parc.
C'est la deuxième maison de la rue.

b) Zoé habite au nord du parc.
Sa rue croise les rues des Pluviers et la rue des Mésanges.
C'est la troisième maison de la rue.

Votre enfant a appris à décrire des itinéraires en utilisant un vocabulaire précis et à repérer les points cardinaux dans son environnement. Donnez-lui l'occasion d'approfondir cet apprentissage, en lui faisant remarquer quel côté de la maison se trouve du côté nord, sud, est et ouest, ou encore en observant où se situe le soleil à différents moments de la journée.
Lors de vos déplacements, attirez son attention sur les indications routières (ex. : 15 Nord, Décarie sud, etc.) de même que sur les commentaires faits au cours du bulletin de circulation à la radio ou à la télévision.

4. Boussole veut se rendre à la piscine. Aide-le en complétant l'itinéraire avec les mots «nord» ,«sud», «est» ou «ouest», selon le cas.

a) Sortir du parc et se diriger sur la rue des Colibris en direction… jusqu'à la rue des Merles.

b) Prendre la direction… jusqu'à la rue des Hirondelles.

c) Prendre cette rue en direction… , puis tourner sur la première rue en direction…

d) La piscine est située au… de la rue des Oliviers.

5. Décris à un ou à une camarade l'itinéraire que Boussole pourrait suivre pour aller de la piscine à la deuxième maison de la rue des Pins.

Repère

Les points cardinaux peuvent t'aider à t'orienter.

Le matin, le soleil se lève à l'**est**.

Le midi, le soleil est au **sud**.

En fin d'après-midi, le soleil se couche à l'**ouest**.

On ne voit jamais le soleil du côté **nord**.

Si je suis dos au soleil du midi, mon bras droit indique l'est et mon bras gauche indique l'ouest.

Qu'est-ce que tu as appris au cours de cette excursion ? En quoi cela pourra-t-il t'être utile à l'école ou à la maison ? Pourquoi est-il important de faire preuve de précision lorsqu'on décrit un itinéraire ? Nomme des endroits où les mots «nord», «sud», «est» et «ouest» sont utilisés autour de toi et explique ce qu'ils indiquent.

2. À la découverte de régularités

As-tu déjà rempli des tableaux semblables à celui ci-dessous ? Comment avais-tu alors procédé ? Explique, à l'aide d'un exemple, ce qu'est une régularité.

Pour établir des liens entre les données fournies, observons des régularités et partageons nos découvertes.

1. Remplis le tableau qui te sera remis.

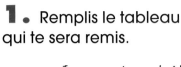

Je pourrais peut-être aussi en fabriquer un à l'ordinateur...

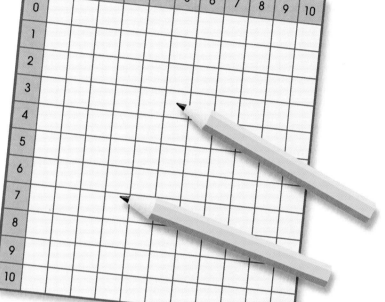

+	0	1	2	3	4	5	6	7	8	9	10
0											
1											
2											
3											
4											
5											
6											
7											
8											
9											
10											

14-2a

14.2

2. Joins-toi à quelques camarades.

a) Notez les régularités que vous observez dans ce tableau.

b) Choisissez deux de ces régularités et présentez-les à vos camarades de classe.

Regardez comment sont disposés les nombres pairs.

Regardez les nombres dans cette diagonale.

J'ai découvert comment on peut utiliser cette table pour trouver le résultat de 13-6.

Explique comment tu as procédé pour remplir le tableau. Comment peux-tu utiliser ce tableau pour trouver des combinaisons de nombres dont la somme est 14 ? Décris comment vous avez procédé pour préparer votre présentation.

1. *a)* • Additionne deux nombres pairs.
La somme est-elle un nombre pair ou un nombre impair ?

• Est-ce que cela semble toujours vrai ?
Vérifie-le en additionnant d'autres nombres pairs.

b) • Additionne deux nombres impairs.
La somme est-elle un nombre pair ou un nombre impair ?

• Est-ce que cela semble toujours vrai ?
Vérifie-le en additionnant d'autres nombres impairs.

c) • Additionne un nombre pair et un nombre impair.
La somme est-elle un nombre pair ou un nombre impair ?

• Est-ce que cela semble toujours vrai ?
Vérifie-le en additionnant d'autres nombres pairs et impairs.

d) • Additionne un nombre impair et un nombre pair.
La somme est-elle un nombre pair ou un nombre impair ?

• Est-ce que cela semble toujours vrai ?
Vérifie-le en additionnant d'autres nombres impairs et pairs.

2. On a choisi quatre cases qui forment un carré. On a additionné les nombres en diagonale et noté leur somme. Que remarques-tu ?

Exemple :

$4 + 4 = \boxed{8}$ et

$3 + 5 = \boxed{8}$

+	0	1	2	3	4
0	0	1	2	3	4
1	1	2	3	4	5
2	2	3	4	5	6
3	3	4	5	6	7

Applique cette démarche à trois endroits différents de ta table d'addition.
Écris les nombres que tu additionnes à chacun de tes essais et leur somme.
Que peux-tu dire des sommes obtenues ?

La table d'addition que tu as remplie s'appelle «table de Pythagore». Pythagore est un mathématicien qui a vécu il y a très longtemps. Lui et ses collègues ont découvert beaucoup de régularités sur les nombres.

3. Complète les expressions mathématiques en t'aidant de ta table d'addition.

a) $14 - 7 =$ ❓

b) $15 - 9 =$ ❓

c) $17 - 8 =$ ❓

d) $3 +$ ❓ $= 12$

e) $5 +$ ❓ $= 13$

f) ❓ $+ 4 = 11$

4. Qui suis-je ?

Si tu m'ajoutes à un nombre, tu obtiens ce même nombre.

Votre enfant a observé une table d'addition dans le but de découvrir des régularités. À la manière du mathématicien ou de la mathématicienne, votre enfant a cherché des régularités et a vérifié si elles s'appliquaient partout dans sa table d'addition. Demandez-lui de vous faire part de ses découvertes, ce qui est toujours enrichissant et valorisant.

Repère

Les nombres

On peut classer les nombres selon qu'ils sont…

- pairs : … 4, 6, 8, 10, 12, 14…
- impairs : … 5, 7, 9, 11, 13, 15…

Les tables

Les tables sont des outils faciles à consulter qui permettent souvent de découvrir des régularités.

+	0	1	2	3	4	5	6	7	8
0	0	1	2	3	4	5	6	7	8
1	1	2	3	4	5	6	7	8	9
2	2	3	4	5	6	7	8	9	10
3	3	4	5	6	7	8	9	10	11
4	4	5	6	7	8	9	10	11	12
5	5	6	7	8	9	10	11	12	13
6	6	7	8	9	10	11	12	13	14
7	7	8	9	10	11	12	13	14	15

Quelles régularités as-tu découvertes ? Quelles connaissances t'ont été utiles pour les découvrir ? À quoi pourrait te servir cette table d'addition ?

3. Travailler en s'amusant

Explique comment on joue à ces jeux, à ton avis.

Travaillons en équipe pour améliorer nos compétences mathématiques tout en nous amusant.

Joins-toi à un ou à une camarade pour jouer aux jeux ci-dessous.

1. Un nombre à découvrir

2. Où est ma maison ?

14-3a

3. Cible : 20

Explique comment tu pourrais améliorer tes compétences à l'un de ces jeux.
Dis en quoi le fait de jouer avec ton ou ta camarade t'a permis de t'améliorer.

1. Des questions ont été formulées à partir de l'illustration. Lis-les, puis associe chacune à l'expression mathématique qui y répond.

On fête la Saint-Jean et Montréal aussi, Miyuki Tanobe, 1991.

a) Combien de personnes voit-on à leur maison (sur leur balcon ou à leur fenêtre) ?

A. $8 - 3 = 5$

b) Combien de drapeaux bleus y a-t-il de plus que de drapeaux rouges ?

B. $8 - 7 = 1$

c) Combien de personnes y a-t-il de plus sur les balcons qu'aux fenêtres ?

C. $8 + 7 = 15$

2. À ton tour ! Compose une question et note l'expression mathématique qui permet d'y répondre.

3. Sur quelles touches de ta calculatrice appuies-tu pour afficher les nombres donnés ? Note-les dans l'ordre sur une feuille.

a) Pour afficher le nombre 20 sans appuyer sur le [0] ni sur le [2].

b) Pour afficher le nombre 12, en appuyant d'abord sur le nombre 17.

c) Pour afficher le nombre 24 sans appuyer sur le [1], [2], [3] ou [4] et en utilisant trois fois la touche [+].

d) Pour afficher le nombre 12 en utilisant toujours un même nombre, sauf le [1] et le [2].

4. Dis si tu dois appuyer sur [+] ou sur [-] pour obtenir le résultat indiqué.

a) [4] [?] [3] [?] [2] [?] [1] [=] [8]

b) [2] [?] [2] [?] [2] [?] [2] [?] [2] [=] [6]

c) [4] [2] [?] [5] [?] [5] [=] [42]

d) [3] [0] [?] [5] [?] [8] [=] [33]

Repère

Tu peux utiliser le diagramme suivant pour t'aider à faire le bilan de ce tu as appris pour résoudre des problèmes au cours de l'année.

```
          mathématique
   géométrie        mesure
       nombres          statistique
    et opérations
```

Qu'as-tu appris cette année sur les nombres et les opérations ? en mesure ? en géométrie ? en statistique ?

Qu'as-tu appris cette année ? Quels outils as-tu utilisés ? Dans quel domaine de la mathématique te sens-tu le plus à l'aise ? Explique en quoi tes camarades de classe t'aident à apprendre.